新しい史的唯物論の定式へ

―歴史の非五段階発展と相対弁証法―

［試論］

Yonei　Akira
米井　証

ウインかもがわ

新しい史的唯物論の定式へ［試論］

—歴史の非五段階発展と相対弁証法— ————————〈目　次〉

［Ⅰ］科学的社会主義の理論的強化についての試論
――歴史の非五段階発展と相対弁証法

1、はじめに

①史的唯物論の「定式」とマルクスのロシア論

マルクスは、『経済学批判』の「序言」(1859年) で史的唯物論を次のように定式化した。

①人間は、彼らの生活の社会的な生産において、一定の、必然的な、彼らの意志から独立した諸関係に入り込む、すなわち、彼らの物質的生産諸力の一定の発展段階に対応する生産諸関係に入り込む。②これらの生産諸関係の総体は、社会の経済的構造を形成する。これが現実の土台であり、その上に一つの法的かつ政治的な上部構造がそびえ立ち、その土台に一定の社会的諸意識形態が対応する。物質的生活の生産様式が、社会的、政治的、および精神的生活過程全般を制約する。人間の意識がその存在を規定するのではなく、逆に、人間の社会的存在がその意識を規定する。③社会の物質的生産諸力は、その発展のある段階で、それまでそれらがその内部で運動してきた既存の生産諸関係と、あるいはそれの法律的表現にすぎない所有諸関係と、矛盾するようになる。これらの諸関係は、生産諸力の発展の諸形態からそ

の桎梏に一変する。そのときに社会革命の時期が始まる。経済的基礎が変化するにつれて、巨大な上部構造の全体が、徐々にせよ急激にせよ、くつがえる。④このような諸変革を考察するにあたっては、経済的な生産諸条件に起きた自然科学的な正確さで確認できる物質的な変革と、人間がこの衝突を意識するようになりこれとたたかって決着をつける場となる、法律、政治、宗教、芸術、または哲学の諸形態、簡単にいえばイデオロギー諸形態とを、つねに区別しなければならない。ある個人がなんであるかを判断する場合に、その個人が自分をうぬぼれ描く評価には頼れないのと同様に、このような変革の時期を、その時期の意識をもとに判断することはできないのであって、むしろこの意識を、物質的生活の諸矛盾から、すなわち社会的生産諸力と生産諸関係とのあいだに存在する衝突から、説明しなければならない。⑤一つの社会構成体は、すべての生産諸力がそのなかではもう発展の余地がないほどに発展しきらないうちは、けっして没落することはなく、また、新しいさらに高度の生産諸関係は、その物質的な存在諸条件が古い社会の胎内で孵化しきらないうちは、けっして古いものに取って代わることはない。それだから、人間はつねに、みずからが解決できる課題だけをみずからに提起する。というのは、やや立ち入ってみるとつねにわかることだが、課題そのものが生まれるのは、その解決の物質的諸条件がすでに存在しているか、または少なくてもそれらが生じつつあることが把握される場合だけだからである。⑥大づかみにいって、アジア的、古代的、封建的、および近代ブルジョア的生産様式が、経済的社会構成体の進歩していく諸時期として特徴づけられよう。ブルジョア的生産諸関係は、社会的生産過程の最後の敵対的形態である。敵対的というのは、個人的敵対という意味ではなく、諸個人の社会的生活諸条件から生じてくる敵対という意味である。しかしブルジョア社会の胎内で発展しつつある生産諸力は、同時にこの敵対を解決するための物質的諸条件をもつくりだす。それゆえ、この社会構成体でもって人類社会の前史は、終わりを告げる。(「『経済学批判』への序言・序説」、P 14 ～ 16、宮川彰訳、新日本出版社、2010 年)

⑥については、「原始共同体、奴隷制、封建制、資本主義、社会主義・共産主義」の五段階とされたうえ、「全ての民族は、原則として、五段階を通過する」という理解から、「五段階を通過するのは例外」とする見解まである。教条主義と無縁な科学的社会主義の精神に立てば、後者の方が科学的であるようにみえる。資本主義社会から社会主義社会への移行に限定してみても、「定式」からは、ブルジョアジーの支配が強固な心臓部ではないにしても、発達した資本主義国から社会主義に移行するという展望が引き出せるのは当然であろう。

実際、西欧の中進国から社会主義革命がおこるであろうとしたマルクスの考えたとおり、パリ・コミューンが勃発するのだが、その敗北後、『資本論』第三部のためのロシア研究を経て、彼は、ロシアのナロードニキの質問にこたえ、「定式」がどこにもあてはまる「普遍的歴史哲学理論」ではないこと、「先進西欧と同時併存している」封建的帝政ロシアは「残存している農耕共同体を基礎に、ロシアの知性による、一つの革命により、直接に社会主義に前進できる」「もし先進西欧と同時併存していなかったならば、西欧と同様の発展をする」との認識に到達することになる。この展望が現実的であったかどうかはさしあたり問題ではなく、「定式」をふまえつつも、ロシア社会の実証的研究を経た歴史認識の深化という点が重要なのであるが、マルクスには時間的余裕はもはや残されていなかったのであろう。

②ロシア革命とレーニン

一方、ロシア革命は『資本論』を実践的に証明したものといわれるが、社会主義建設についてのレーニンの創造的な探究にもかかわらず、スターリンらによる科学的社会主義からの重大な逸脱により、社会主義社会への過渡期社会への道さえ開くこともなく、崩壊してしまったのである。歴史をさかのぼれば、労働力人口の約90%が、その多くが文盲の農民がしめていた革命前のロシア社会には社会主義社会の建設に不可欠な物質的、主体的諸条件は未発達なうえ、戦争と内戦による荒廃という極めて困難な条件のなか、レーニンらは試行錯誤の後、ネップ政策による社会主義への道を発見したといわれてきた。

晩年のレーニンは、『われわれの革命について』で、「社会主義のためには文化が必要だという人がいる。しかし、それをつくりだすために革命をやってはいけないのだろうか。歴史には変えてはいけない順序があるなどということをどんな本で読んだのか」として、「革命的弁証法」が発揮されたロシア革命を例にあげ、史的唯物論の教条主義的理解を厳しく戒めていた。

2、科学的社会主義の理論的強化について

①社会の存在諸形態と交通

歴史の初期の時代には、原始共同体などの社会は交通手段の未発達や、交通を制約するある種の観念に阻害されて、地理的に他の社会から孤立していた。自明のことだが、こうした社会は自らの自然とのみ関係し、自らの経験、知識、技術等以外に頼るべきものはない。社会がよってたつ基盤はつねに、この社会の住民を産み出した自然と、彼ら自身が作り出した社会的自然にある。自生的なものが自生的なものとのみ関係せざるをえない、いわば自給自足的、自己完結的な社会である。このような存在形態と質をもつ社会は時代の如何にかかわらず自己完結的社会と呼べる。住民にとり、この社会は〝世界〟として現れる。例えば、ロシアのミール共同体のミールが〝世界〟の意であるように。

自己完結的社会内での生産活動が一定の程度に達すると、それまでの内包的発展は外延的発展にとって代わり、対外交通が始まる。交通の開始は、交通を始めた側の社会にとっても、交通を受け入れる側にとっても、自己完結的性格の打破になる。小〝世界〟は「内」に、社会の周囲は「外」に転化することにより、自己完結的な社会とは異質な存在形態に変わる。それを開放的社会と呼ぶとすれば、自己完結的社会が交通の開始・発展により開放的社会に転化するといえる。

一つの開放的社会には交通の相手として、一つないし複数の開放的社会が対応していることから、交通の開始・発展にともない、複数の開放的社会を構成要素とする一つの体系が成立し、発展する。個々の開放的社会からすれば、この体系は相互交通の領域＝交通圏を形成し

ている。他方、同じこの体系を全体としてみれば、それ自体が自己完結的であり、この体系に包含されていない社会、あるいは他の交通圏に対し孤立的である。従って、初期の自己完結的な孤立社会の解体の後に成立する交通圏は、再び自己完結的な孤立社会であることがわかる。これは、自己完結的な孤立と開放の交代過程の最も単純な場合といえる。

交通とは、「外」に対する全ての行為のことで、その主体は個人から、国家によるものまである。また、交通の形態は、移住、征服、戦争から交易、通信、文化交流など種々ある。容易に推察しうるように、各時代に多くの交通諸形態が見出されるとしても、その時代に固有な、支配的かつ規定的な交通形態が存在する。

また、交通により伝達されるものは、加工されていない第一次産品のような自然と、物的および精神的労働生産物、人間諸力それ自体などがある。伝達が意義あるものとなるには、伝達されたものが、それらを受け取る社会の自然と生産物、人間諸力と異なっていなければならない。さらに、質的に異なるものの伝達と、同質でも生産力が量的に異なるものの伝達とを区別する必要がある。いずれも根底には、自然力を含めた生産諸力の多様性や発達程度の相違が横たわっている。他方、同じ交通は、生産諸力の発達程度の相違を、暴力的にか、より平和的な方法により、つくりだしもする。前者の意味での生産諸力の不均等は、意義ある伝達、あるいは持続的交通の原因であるのに対し、後者は持続的交通の結果である。この「原因」と「結果」の堂々めぐりから抜け出るには、持続的交通の原因として、諸社会の〝本源的孤立〟と、その生産諸力の〝本源的不均等〟を前提しなければならない（人類史初期の「四大文明」)。

さらに、交通による当該社会による他社会の自然、生産物の獲得は、相手からは、自らの自然、生産物の他有化であり、この「他者の自有化」と「自己の他有化」の仕方、様式はしばしば、一定期間、固定され、交通諸関係に結晶し、なんらかの種類の、結合の強弱が異なる〝世界史〟が成立する。交通圏の成立、発展にともない、複数の開放社会が「先進」と「後進」、あるいは「中心」と「周辺」へ分裂し、対立が発生する。この対立は、各開放社会にとり、土着と外来、受容と排斥、独立と併合、国内法と国際法など、内外対立として現れる。

注)「コミュニケーションとは…（自己の）他有化による（他者の）我有化である」（稲葉三千男『現代コミュニケーションの理論』、P 10 ～ 11、青木書店、1975 年）。本論では、氏がいう「自己の精神的他有化による他者の物質的我有化および精神的我有化、また自己の物質的他有化による他者の物質的我有化および精神的我有化という四つの型」のうち「精神的他有化による精神的我有化が狭義におけるコミュニケーション」を除いたものを「交通」とし、「我有化」を「自有化」とした。

交通圏内の「先進」開放社会の位置と性格は独特である。「先進」開放社会は、生産力と生産関係面、政治や思想・理論面などでの突出部であって、「後進」開放社会と比べ、いっそうの発展を目指す際、依拠しえるものは主として自身の生産物であることから、孤立社会としての性格をあわせもつ。

②社会の存在諸形態と歴史発展の形態

社会の存在諸形態は、すでに述べたとおり、基本的に孤立的社会と開放的社会の二形態であり、前者には、自己完結的な孤立社会と交通圏の先端的突出部としての孤立社会が含まれていた。

自己完結的社会は自生的なものが自生的なものとのみ関係せざるを

えない社会であった。歴史発展の動因は生産諸力と生産諸関係との矛盾から発生する階級闘争である。自己完結的社会の矛盾はこの社会内に封じ込められている。矛盾の生起、解決はいずれも自己完結的社会内を舞台にしており、新旧の対立についてみれば、いずれも自己完結的社会内に属していること、新なるものは旧なるものの中から現れ、成長し、旧なるものを倒し、支配的な地位につくこと、また、なにものかの継承・発展についてみれば、継承・発展される当のものは、この社会自体の産物であり、継承・発展を担う主体もこの社会の住民であり、場所的にもほぼ同一である。従って、自己完結的社会の発展形態は、変革の画期が非連続的な自発・自展的、自生的な発展といえる。また、交通圏内の先端的突出部としての「先進」開放社会も自己完結性をあわせもつため、自発・自展的、自生的な発展性をもっている。

「定式」の与える歴史発展の形態と自発・自展的、自生的な発展を比べてみると、両者が酷似していることがわかる。あるいは、「史的唯物論を科学的に証明した」とされる『資本論』と比較検討して得られる第一の推論は、「定式」の成立妥当領域は自己完結的社会および交通圏内の先端的「先進」社会であろう。

では、交通圏内の先端的孤立社会を除く全開放的社会、つまり、「後進」社会はどのような発展の仕方をするのかが問題になる。

先に、交通圏の成立・発展にともない交通圏内で、「先進」と「後進」、「中心」と「周辺」への分裂および両者の対立が発展すること、各開放社会にとって、この対立が内外対立として現れることを述べておいた。一時的、偶然的ではない内外対立の根源は、交通圏内の交通諸関係にある。交通諸関係は「自己の他有化」と「他者の自有化」の様式のことであった。歴史的に重要な二つの交通関係は、「自己の他有化」および「他者の自有化」が、単に、相手の自然物、労働生産物にとどまるのか、住民をも含めた全てに及んでいるかどうか、である。前者では「後進」の手に交通の主導権が握られているのに対し、後者では奪われている。二つの「後進」社会は、自律的な「後進」と植民地・従属地域を指している。二つの「後進」を両極として、様々な「後進」がありうる。

「先進」と「後進」の関係を考えるときに重要な、もう一つの側面は、両者の生産諸関係が、基本的に同質か否か、という点である。「後進」の発展の仕方を考察する際、「後進」社会の存在諸形態の検討とともに、「先進」との生産諸力的格差とともに生産諸関係の差異を明らかにする必要がある。「後進」社会は全て、開放社会という存在形態を有しているが、「先進」との生産諸力的、生産諸関係面での、および、取り結ばれる交通諸関係、各「後進」特有の相違によって、存在の形態は一様ではない。

「先進」社会と生産諸関係が基本的に同質な「後進」社会の、「先進」の発展の仕方との違いは、主として量的なものとなり、「先進」と比べ、短縮された発展過程を歩むことになる。それに対し、「先進」と生産諸関係を異にする「後進」の発展の仕方は、「先進」のそれと質的に大きな違いがある、というのが第二の推論になる。

「先進」資本主義とは異なった奴隷制、封建制などの前資本主義的生産諸関係が支配している、自律的「後進」社会の発展の仕方についてだけみておく。

自律的「後進」社会は、内外対立に促されて、「先進」社会が創造した「肯定的諸成果」を個人あるいは国家が主体となり導入し始めるのであるが、労働手段の国家的導入の場合は特に重要である。労働手段とともに、その労働手段に固有な労働力編成、および労働力のあり方をはじめとした、「先進」における生産関係＝「先進」的矛盾をも導入するようになる。これが極めて明瞭になるのは、協業によるしか稼働しえない機械設備の導入である。他方、「先進」生産物の獲得には、なんらかの反対給付を必要とする。交換が等価であるか、不等価であるか、あるいは、借款の導入の程度などで、事態は幾分異なるのだが、「肯定的諸成果」の導入にあたり、反対給付として「先進」社会に渡されるものを、なんらかの方法と手段で生産しなければならない。国家的導入の場合に顕著に現れるように、この役割を担うのは「後進」社会における既存の生産様式である。導入された生産関係により、それはある程度変容するにしても、外来の生産関係に簡単にとって代わるものでなく、むしろ、両者は有機的に結合する。ここで、内外対立を基礎にした、外来の、導入された、「先進」社会における矛盾と「後進」社会自身の矛盾の有機的結合である〝三位一体的矛盾の体系〟または〝複合的構成〟が形成され、「独自な社会」が出現する。

複合的構成には、「先進」社会の矛盾と「後進」社会の矛盾が含まれ、有機的に結合しているので、前者の解決は、後者の解決も誘発する。「『先進』社会の矛盾の解決」とは、「先進」社会の生産諸関係の克服として、より高度な生産諸関係を創出するかも知れない。複合的構成を内蔵した「後進」社会の革命的変革により、生産諸関係での「先進」と生産諸力での全般的「後進」とを基礎に、経済、政治、思想、理論、文化などでの革新と逆行も現れうる。「肯定的諸成果」の追加的導入が不可避になるだろう。

このような自律的な「後進」社会の発展形態は、孤立社会がそうであったような、自発・自展的ではなく、他発・自展的な性格ももつ。この「後進」社会は、自己完結的社会が非連続的に通過した変革の画期を、連続して、あるいは飛び越してさえ通過するが、これは、複合的構成の全面的解決の出発点にすぎない。

こうしたことは、交通圏内での、なにものかの継承・発展が自己完結的社会のそれと異なるからである。交通圏内での継承・発展では、継承されるものの創造、継承、発展を担うのが、それぞれ別々の開放社会であるかも知れない。過程の連続性は、継承されるものの他社会への伝播を考慮すると、全体としての交通圏においてだけ成り立つのだから、自己完結的社会に固有な歴史発展の形態は、自己完結的社会の解体後に成立する交通圏の、全体としての歴史発展の形態として再現されることになる。こうして、「定式」⑥の五段階は経済的社会構成体の新旧や高低をはかる尺度になりうる。

③唯物弁証法の二つの形態

基本的に二種の相異なる存在形態の社会に固有な発展の形態があることを述べてきた。そのうち、自己完結的社会および交通圏内の先端的孤立社会、全体としての交通圏の発展形態を、歴史の弁証法的発展の絶対的形態、交通圏内の個々の開放社会のそれを相対的形態として、絶対弁証法と相対弁証法という弁証法の二つの形態について考察することができる。

開放社会は、仮に、交通を断ち切るとすると自己完結的社会にもどるのであるから、弁証法の絶対的形態と相対的形態の関連は、形式的には、相互交通を全く捨象することにより、後者は前者にもどるところにある。自己完結的社会の開放社会への転化は、弁証法的発展の絶対的形態から相対的形態への転化として現れる。「普遍性」の内容も変化し、絶対弁証法的「普遍性」は、相対弁証法的「普遍性」にとって代わり、前者は後者の個別的で、特殊な現れにすぎなくなる。この変化が意識されない限り、相対弁証法的発展は、類型性を纏うことになる。

絶対弁証法の対象は、特定の運動形態についていえば、自己完結的で孤立した一過程であるのに対し、相対弁証法のそれは、特定の運動形態なら、その過程と他の過程間の相互作用も含む。歴史については前者の対象が「社会的人間、人間的社会」であり、後者のそれは「諸社会の人間、人間的諸社会」になる。

歴史発展の原動力である矛盾についてみると、発展の絶対的形態における矛盾は自生的であり、その生成と解決の後に現れる新しい矛盾の生起も同一系内でおこなわれている。自己完結的社会内で、たとえば封建制生産関係と社会主義的生産関係が相対することがないように、自己完結系内では、成長をとげ確立された旧なるものと、同様に成長をとげ確立された新なるものが対立しあうことはなく、萌芽的な新なる傾向と旧なる現実との対立、あるいは実現化した新なるものと、発展の諸条件を奪われつつある旧なるものとの対立があるだけである。それ故、発展過程は、飛躍が不連続的な、段階的な発展として現れる。旧なるものに含まれる対立は空間的に同時存在しており、時間的に規定される新旧の対立とは絶対弁証法では厳密に区別される。

これに対し、歴史発展の相対的形態でも、矛盾が発展の原動力である点は絶対的形態と同様だが、事態は幾分異なっている。歴史発展の相対的形態では、交通諸関係による内外対立を基礎にした、他社会に起源をもつ外来的な「先進的」矛盾と、内に起源をもつ自生的な「後進的」矛盾が有機的に結合した〝三位一体的矛盾〟が特徴であった。発展の相対的形態では、絶対弁証法により時間的に規定された新旧が、一定の相互作用のもとで内外対立として立ち現れ、自生的矛盾と他発的矛盾が結合している。このような矛盾の解決は、諸矛盾の同時的、連続的解決であり、発展過程は、絶対弁証法があたえる特定段階の短縮や飛び越し、諸段階の連続的通過や順序の逆転をともなっている。空間的要素と時間的要素が一定の条件のもとで、互いに絡みあっているからである。

④相対弁証法の諸形態

ところで、これまで交通の歴史的制約として、等価あるいは不等価交換のもとで弁証法的発展の相対的形態について考察してきた。歴史発展の相対的形態は、「肯定的諸成果」を国家の意思により導入するために絶えず反対給付を必要とするため、〝三位一体的矛盾の体系〟あるいは〝複合的構成〟の生成が避けられなかった。交通は不均等発展を原因に発展し均等化をもたらすとともに、再び、不均等発展をつくりだしもした。交通がもつ均等化作用による矛盾の緩和と他方で矛盾の重畳と激化が生じた。また、〝三位一体的矛盾〟のうちの「先進的矛盾」の実践的解決に必要な「先進的」物質的諸条件を、「先進」社会が無償で提供する訳でもない。

こうしたことは、社会主義・共産主義社会の世界史的確立と、それによる、等価あるいは不等価交換などの交通の歴史的制約の廃絶という長期の展望からみると、階級社会が支配的な時代に特有な現象にほかならない。歴史発展の相対弁証法は、交通の経済的条件に従い、特殊な形態と、一般的な形態に区別することができ、有償による交通の廃絶により、前者は後者に移行するだろう。

歴史の一般的な相対弁証法的発展では、無階級社会段階の交通がもつ、真に生産的で平和的・文化的な均等化作用が現れ、それが諸社会の合理的で理性的な発展に役立ち、一社会の自由な発展が全社会の加速度的発展の条件になる。また、一開放社会が、その実践により発見し、他の開放社会においても「実現されるべき理念」は、その実現に必要な物質的諸条件を、矛盾や不合理を自覚した「後進的」な社会に無償で提供される。これに対し、相対弁証法の特殊形態においては、「実現されるべき理念」の実現に必要な物質的諸条件は無償で提供されることはない。

交通圏全体の、一般的形態の相対弁証法的運動を、一開放社会からみると、源泉である「先進」社会から解き放たれた「実現されるべき理念」自体が、各開放社会の発展過程へ伝播され、しかる後の「実現されるべき理念」の再生産という形をとり、自己運動しているようにみえる。この自己運動は、無限・自己完結・絶対的という本質をもつ「絶対精神」と、それの啓示の過程を展開している「ヘーゲル弁証法」であるようにみえる。全体としての歴史発展過程に、一時的に寄与する、各社会への、「絶対精神」の啓示という歴史哲学の論理からすると、「ヘーゲル弁証法」では、複合体の弁証法が従属的地位をしめている。複合体の弁証法、すなわち歴史の弁証法は、ヘーゲルでは、完結体の絶対弁証法、すなわち「絶対精神」の自己運動の所産とされているからである。「ヘーゲル弁証法」は、自己完結体の弁証法、すなわち絶対弁証法と、複合体の弁証法、すなわち相対弁証法との矛盾を含んでいる。

「ヘーゲル弁証法」の批判は、まず、「絶対精神」の特定の発展段階の地上的源泉である、先端的孤立社会および自己完結的社会の自己運動の解剖でなければならず、ついで、この解剖学を基礎にした、「後進」への「実現されるべき理念」の唯物論的「啓示」を解明することであろう。「実現されるべき理念」の源泉が地上の先端的孤立社会にあることをマルクスは証明したが、それの「後進」社会への波及により「先進」への転化をもたらす可能性も明らかになった。相対弁証法的な歴史発展の根源的諸条件は、交通とそれがもたらす自然・生産物などと、これらを使いこなす肉体的・精神的労働能力の相対的同一性と可塑性である。

「ヘーゲル弁証法」の第一の否定から、唯物論的な絶対弁証法が生まれ、「ヘーゲル弁証法」の否定の否定から相対弁証法が生まれるだろう――これが、第三の推論になる。

⑤最後に

弁証法の相対的形態について述べてきたが、「弁証法の相対化」ではない。また、地動説が天動説を、相対論的宇宙論がその両者を説明できるように、歴史の相対弁証法によって、観念論的な「情報化社会論」や、社会構造と発展の独自性を強調する「類型論」、「中心」と「周辺」の関係を重視するが、歴史構造を固定化してしまう「世界システム論」とその対極の「辺境変革説」、混迷に陥る生産様式の「接合理論」、生産を背にし交換様式による世界史論などの〝誕生の秘密〟も明らかになろう。

［Ⅱ］閉じた系と開かれた系
——広義の経済学も援用して

1、概説

①自然的連関と社会的連関

一つの社会が他社会と関係する仕方は、多かれ少なかれ何らかの関係のなかにある場合と、何の関係ももたない場合とである。人類史の初期にあっては、主として技術的未発達によって、互いに関係を持ちえない状態が見出される一方、技術的発展にもかかわらず、意図的な無関係状態もみられる。しかし、注意すべきことは、後者も厳密にいえば関係の一形態である。

注）「もともとわが国（—日本、引用者）は、極東の一角に地理的にも孤立し、単に一七世紀以降ヨーロッパの資本主義的発展からながく隔絶して過ごしただけでなく、それ以前にさかのぼってみても、中世以来周辺諸国と特に密接な政治的経済的関係をもつことなく、また周辺諸国から重大な影響をほとんど受けることなく経過してきた」（下山三郎『明治維新研究史論』、P 217、お茶の水書房、1968 年）。自由民権運動研究の立場から、「世界史の基本法則」は「史的唯物論の定式」の理解に錯覚があるとしてその再検討を呼びかけていた。

これに対し、自然においては、「事象の地平線」内の全宇宙がいやおうなしに相互に関係しており、一物が他と関係する仕方は、無意識的、絶対的であって、社会的連関とは本質的に異なる。とはいえ、自然の場合でも、連関の拡張は、最高でも光速度という有限の速度による近接作用である点で、社会的連関と類似した側面をもってもいる。

注）「ファラデー、マックスウェルにより物理学、特に電気学においておこなわれた、遠隔作用から近接作用への移行と全く同様な進展がここにおいて幾何学にも生じたのである。即ち世界を無限小における事態から理解しようという原理が実現されたのである」（ワイル『リーマン幾何学の基礎をなす仮説について』の序、P 7、菅原正巳訳、清水弘文堂、1975 年）。無限大の速度による作用の伝播を許す自然科学理論はない。

また、相互に関係をもつ社会の一群が、それら以外の社会と何の関係ももたない事態がありえる。一群の関係する諸社会は、内部的に自己完結した連関の鎖をもち、この閉じた連関の外にある社会にたいし、あたかも一つの社会のようにふるまうが、この領域は固定していない。さらに、領域内部で、一社会が他社会に対し、いかなる位置関係にあるかも重要になる。

②開放系と孤立系―存在諸形態

系は、他の系と何の関係も持たず、自らが創造した環境をふまえ、次の状態をつくりだす、他から否応なしに隔絶した形態と、他方では、他の系と関係しながらも、作用を与えるだけで何らの作用も受けない形態がありうる。前者が自己完結型であるのに対し、後者は「湧き口」型になる。自己完結型は相互作用の未発展にもとづく存在形態であり、相互作用の発展にともない、次々と一掃される。これに対し、「湧き口」型は、自己完結型の否定のもと、相互作用しあう一群の系を前提して、作用の方向は外向きに一方向である。社会についていえば、「湧き口」型は「先進社会」の抽象物、純粋なモデルという性格をもつ。

開放系については、互いに関係をもち相互作用しあう一群の系内にのみ存在する。孤立系と同様、いくつかの形態があり、一つは「湧き口」型であり、これと正反対の、作用を受けるだけの「吸い口」型や、両者を両極に様々な中間型がありえる。「吸い口」型は、社会についていえば、純粋な「後進社会」のモデルである。現実の社会は多少とも中間型である。

歴史の進行は、大局的には、諸社会を孤立的社会から開放的社会へ転化させることにより、孤立的社会の林立状態を終わらせ、互いに影響を与えあう交通圏を形成する。これは圏外の孤立的社会に対し、再び孤立的である。地域史は世界史へ合流し、その構成部分になる。さらに地球外生命体との遭遇により新たな歴史に前進するのだろうか。

自己完結系で成り立つ法則は、相互作用の領域内の個々の開放系では、そのまま成立しないが、再び自己完結的性格をもつ、全体としての相互作用の領域には、きわめて類似した仕方で成立する。

注）「どの文明国をも、またその中のどの個人をも、欲望の充足という点でも全世界に依存させ、個々の国々の自生的排他性をぶち壊した。それこそが世界史を生み出した」（『ドイツイデオロギー』マルクス・エンゲルス全集③P 56、大月書店）

③交通—諸系の発展段階の相違の結果としての交通と交通による発展段階の均等化および相違の拡大

(1) 交通開始と持続の諸条件

交通が開始されるには、自己完結的な諸社会があり、交通が不規則で偶然的な状態から、規則的で持続的なものになるには、社会の内包的発展から外延的発展へ転化させる諸条件の成熟が必要となる。それには剰余生産物の生産が含まれる。また、相互に交通しあう社会間での自然的相違、社会的な発展段階の不均等性と同時並存が必要になる。交通手段の一定程度の発達も必要であろう。これらの諸条件が全て成熟するとき初めて持続的相互交通が開始されるのである。

一方、相互交通は、諸社会の発展段階の相違をつくりだしもするので、交通開始の原因としての、諸社会の〝本源的孤立〟、もしくは〝本源的不均等〟を前提しなければならない。ともあれ、持続的交通が展開されるには商品交換の時代、とくに、資本主義時代の成立が必要であった。

注）「世界のいろいろな発展の場合に、発展の不均等性があればこそ政治的接触がおこってくる。…だから共通性じゃなくて、異質性こそが、文明圏を形成させるもとのもの」（太田秀道『歴史評論』1980年5月号、P 23）。

(2) 交通により伝達されるもの

交通により伝達されるものは、さしあたり具体的欲望をみたす多様な生産物だろう。

欲望は、諸社会の地理的・空間的差異にもとづき、生産手段と生産方法は諸社会間の歴史的・時間的差異＝発展段階の不均等にもとづく。他社会の生産物は空間的、時間的な差異の複合物として現れる。生産物の交換が商品交換に発展すればするほど、使用価値と交換価値の対立が発展する。

大工業機械設備の稼働には、それに照応する安定した労働力のあり方と編成、指揮・監督を必要とする。労働手段の導入は一方では、この労働手段に照応する労働力のあり方と労働者間の関係の導入であり、他方では労働手段の導入者と労働者の間の関係の導入でもある。交通しあう社会の生産諸関係が基本的に同一ならば、生産諸力の短縮的発展と、それにもとづく歴史的な発展がおこなわれうる。また、同一でなければ、労働力のあり方・編成や階級関係の再編など、私的で個別的な改変にとどまらない全社会にかかわる改変が必要となる。

交通により伝達されるものは、新たな欲望と生産手段や、既存の生産物のより高度な生産方法などであるとともに、他社会が生産した生産諸関係をも含んでさえいる。交通により伝達されるものの、さしあたりの量的制限は剰余生産物の量であり、その質を規定するのは諸社会の自然的諸条件の差異と歴史的発展の不均等である。

(3) 内的なものと外的なもの

自己完結社会においては内的要因と外的要因との区別と連関は問題になりえない。この社会にとり「外」はなく、「内」もなく、それは「世界」である。交通は自己の「世界」以外の他の「世界」を知らせ、「外」を意識させる。それは同時に、周囲社会に対する「内」であることも認識する。内的要因と外的要因の関係の始まりは自己完結社会の解体に端を発する。

注）世界資本主義体制のもとでは、「もはや、『国際的要因』は内的矛盾にとっての外的契機ではなく、内的矛盾を飛躍させ発展させる。それ自体内的矛盾に転化するものだ」（藤村道生、遠山茂樹著『戦後の歴史学と歴史意識』P 289、岩波書店、1968 年）。

内的要因と外的要因の関係は、内的要因の主導のもとで、外的要因が単なる素材にすぎない状態から、交通の発展にともない、外的要因が主導する状態に転化する傾向がある。

生産と交通の著しい未発達と地域的狭隘性とにもとづく自己完結社会の内部で、自己完結性を打ち砕く、生産の外延的発展による交通の開始が原動力となり、交通領域の拡大にともない外的要因との関係が始まる。自己完結性を打破しつつある社会は「外」の生産物を手にいれる。新しい生活資料を入手する段階から、その生活資料の生産のための生産手段を導入する段階、さらにその生産手段を基礎にした生産諸関係を組織する段階に発展する。外的要因の主導のもとに内的要因が素材として扱われる。内的要因と外的要因との結合は歴史的独自性として意識される。より広範囲な交通領域の形成による大「世界」が成立する。

(4) 交通の諸形態と主体

採取経済の時代は、より実り多い自然的諸条件の獲得をめざす移動が基本的形態であり、また、交通一般の端緒的形態である。一定の地域での採取が限度に達すれば他へ移らざるをえず、他の共同体との衝突や戦争をともなう。人間達の移動にともない生産物や生産技術などの伝播がおこなわれる。

侵略・征服は、征服地への征服者の生産諸関係の暴力的移植であればそれが地理的に拡張される。その一方、被征服者の生産諸関係へ寄生・転換する場合もみられる。

交易は自律的な諸社会間で生産物が相互に交換される。これらの生産物が生産過程のなかで結合され、新しい欲望の対象になる生活資料の生産が可能になり、また、既成の生活資料の生産方法の発展がおこなわれる。交易を介して、新たな欲望対象や生産技術、生産諸関係が伝播される。自律的諸社会間の交易と、ある社会による他社会の略奪とを両極として、さまざまな中間形態がありうる。

隊商や「駅」制のような徒歩や中継による伝達方式は、交通手段の発達により移動速度は早まり、最終的には電気信号化された情報自体の伝達方式に発展する。人や生産物の移動により情報が伝達される状態は、伝達された情報により人や生産物が移動する状態にとってかわる。

交通の主体は、私的・個人的な偶然的交通から私的・集団的交通へ発展し、さらに国家による交通に発展してきたが、それらは同時に併存している場合がある。国家が主導する交通の進展により、諸社会間に一定の交通諸関係が樹立され、交通が大量化するとともに持続性をもつようになる。この交通諸関係は、相異なる生産諸関係をもつ諸社会を包み込む。社会間の分業がつくられ相互依存が強まるに従い、交通諸関係の安定性は高まるが、依然、個々の社会の思惑に左右される。

また、国家主導による交易は、他社会の生活資料を取得する段階でさえ、取得するうえで必要な反対給付物を生産するため、既存の生産諸関係にもとづく支配の強化をともなう。先進的労働手段を取得する段階ではその生産諸関係は再編され変容するようになる。

④複合的構成の形成

複合的な生産諸関係とは、内外対立のもとで、旧来の生産諸関係と外来の新しい生産諸関係との結合による三位一体的な矛盾の体系である。封建的関係と資本主義的関係の有機的結合は、戦前の日本や革命前のロシア、中国などにみられた。

先進的な欲望を満たす生活資料を生産する機械設備の導入には、等価交換の条件のもと、なんらかの反対給付としての生産物や貨幣の蓄積、あるいは増産を必要とする。後進社会では、富の集中が必要になり租税制度や銀行制度が整備される。等価交換のもとでは、複合的構成の不可避的な形成という代償を払い、その時代の先進社会の「肯定的諸成果」を獲得する。

一方で封建制が温存・再編され、他方で資本家層が温室的に育成される。導入される機械設備を協業により運転するために農民の通年労働者化も必要になる。

注)「後発資本主義国ロシアが急速に資本蓄積を強行するためには、人民の大多数を占める農民から国家権力によって買戻金・税金を収奪することが至上命令とされた」(日南田真静「ロシアの一九〇五年革命」『世界歴史』第23巻、岩波書店、1969年)。また、「工業国家を建設するためには、工業が必要であり、そのための機械類が必要になる。それらを当面、自国で生産できないとすれば、先進国から輸入する必要がある。そのためには何かを輸出しなければならない。輸出できるものはといえば、主に農産物であるか軽工業品（繊維製品など）である。そして、これらの財も輸出力をもつためには安い価格でなければならない。ここから、後発国の権力は国内の農民や労働者を抑圧して、安い賃金で労働させ、その製品を海外で売りさばき、その見返りに工業機械類などを輸入し、将来の工業国家の基礎をつくるという方向を採用するケースもでてくる」(『現代思想がわかる事典』P 157、日本実業出版社、1995年。「ソ連、東欧の崩壊で共産主義は敗退した」とみる鷲田小彌太編著)。

注2) さらに、日本共産党の不破哲三氏は、「マルクスは…もし西ローロッパで社会主義革命が成功し、その援助をうけるならば、ロシアが、共同体を基礎に、資本主義を通らないで、社会主義にむかってすすむことは可能になる、という結論をだしました。その場合、ロシア社会は当然、複雑な過渡期を経過することになります。しかし、この過渡期は、マルクスが『ゴータ綱領批判』で提起した過渡期とは、まったく異なるものです。それは、前資本主義社会から社会主義社会に移行してゆく過渡期として、独特の社会形態を経過する過程となったことでしょう。社会主義がヨーロッパで成功すれば、おのずからそれが『巨大な力』とも『模範』ともなって他国民にも影響をあたえ、『半文明』の諸国も独自の道をたどりながら、最終的には社会主義に接近してゆくだろう―これが、エンゲルスがしめした壮大な展望でした」(『前衛』1995年3月号、P 52～53) という認識を示

している。「独特の社会形態を経過する過程」とか、「独自の道」をたどるという点が重要だろう。

さらに、不破氏は、ヨーロッパの封建制は「奴隷制を基礎として発展したローマ帝国が、その衰退期に、原始的な氏族制度のしくみを残したゲルマンの諸民族が東から押し寄せてくるのにぶつかり、この二つの社会の合流点で、社会のしくみとしては、ゲルマン的な制度が大きな骨組みになってうまれた」としたうえで、「社会全体が合流したり混在したりするような大規模な交流は、日本の歴史には、本当に少ない」が、原始共産制、奴隷制、封建制という社会の交代が、「マルクス、エンゲルスが主にヨーロッパをもとにして研究した社会の交代の歴史と基本的に同じ」だと指摘。大規模な交流なしに、「原始社会から資本主義まで四つの社会形態を全部経験してきたという国は、あまり世界に例がありません」「歴史の流れにはやはり（同じ）法則がある」と結論づけている（1995年11月、東京大学の駒場祭での講演。パンフ『学問のこと、社会のこと、日本共産党のこと』、P 16～17、日本共産党中央委員会、1995年）。

「大規模な交流」のない自己完結社会の発展法則と「大規模な交流」にさらされている社会の発展法則の同一性と差異性のうち同一性が強調されている。

自律的な封建社会がみずからの力で複合的構成を形成する一方、資本主義的帝国主義による前資本主義社会の植民地化によって、ただちに資本主義的諸関係に置き換えることはできない。一定の地域から前資本主義的諸関係を一掃するには、当該地域社会の住民を根絶するか、他の地域に強制的に駆逐するか、旧支配層の絶滅から始めるしかない。北アメリカのように、駆逐に成功した地域では複合的構成は形成されず、資本主義が移植された。

帝国主義に征服された場合でも、前資本主義社会の被支配者の側からみても、先進的生産技術と労働方式の獲得であって、自生的発展による生産諸力の発展過程が著しく短縮された。しかも、労働者階級を強行的に誕生させ、急速に成長させ、変革が達成されれば、歴史の発展過程をも短縮することになる。

注）「最新の資本主義にとっては、資本の輸出が典型的となった。…とくに国際間の交易の増大は、資本主義の特徴的な顕著な特質である。個々の企業、個々の産業部門、個々の国の発展における不均等性と飛躍性は、資本主義のもとでは避けられない」（レーニン『帝国主義論』国民文庫Ｐ 80、大月書店、1995 年）。

第二次大戦中に植民地支配にともなう自然環境破壊や民族文化の破壊を批判しながらも、その「文明化作用」による「文明の伝播」について疑いをもたなかったといわれる矢内原忠雄は、「之（植民地支配―引用者）によりて旧社会（帝国主義国―引用者）の経済が発達するのみならず、植民地も亦労力資本および進歩せる経済組織の輸入を受けて、新に世界経済に引き入れられる。国際的分業の拡張に伴う生産総額及び種類の増加。かくて植民の効果は、量的及び質的意味における人類経済の発達！」（『岩波講座　社会科学の方法Ⅲ』Ｐ 127、岩波書店、1993 年）と高らかに宣言したという。

⑤複合的構成体の運動

複合的構成は、社会の「外」との接触と、その圧力により「内」から形成される。また「外」からの圧力に敗れ、「外」の征服者により形成もされる。交通の主導権を保持している自律後進社会と、交通の主導権を奪われている植民地とを両極にして、種々の中間的形態がありうる。複合的構成をのぞまない社会は南アメリカの古代文明のように根絶されるか、北アメリカの先住民のように他地域に駆逐されるほかなかった。

封建制と資本主義が同時併存し、複合的構成が形成される場合、封建勢力がそれを主導する。先進的な生活資料の獲得を目的とする場合でも、また、先進的な生活資料の生産を目的とした複合的構成が形成される場合でも、国家による交易がおこなわれ、そこではさしあたり前資本主義的剰余生産物が、その後には剰余生産物のみならず、生産物の一定量が資本主義的市場で生活手段や生産手段、労働力などに変換される。

封建地代＝先進的な生活手段への交換の単純な繰り返し。この繰り返しは種々の困難―天変地異や事故などの自然災害、戦争や関係断絶など政治的困難―をともなう。そのため、地代＝先進的な生活手段を生産する労働手段への交換が渇望される。この交換には、労働手段の活用方法の習得が欠かせず、技術者の招聘か技術者の育成が必要なことから、地代＝先進的生活手段生産の労働手段＋先進的労働力への変換に発展する。この変換だけでは、先進的生活手段の生産は量的にはきわめて限定されたものならざるをえず、変換はさらに、地代＝（先進的労働手段＋先進的労働力）＋（自国産労働対象＋単純労働力）に発展する。地代の先進的生活手段への変換、地代の先進的生活手段生産の労働手段への変換とならび先進的生活手段生産の労働手段の生産手段への変換も発展する。地代＝先進的労働手段＋先進的生産手段の生産手段＋自国産労働対象＋単純労働力となる。

地代＝先進的な生活手段への交換の単純な繰り返しでは、既存の封建的生産諸関係が再編・強化されるだけだが、変換が発展するにつれ、特に最後の変換にみられるように、地代の生産資本への変換にともない、資本主義的生産が移植され、封建的生産諸関係とならび、資本主義的生産諸関係による剰余生産物が生産されることになる。封建制と資本主義が有機的に結合されるが、結合以前の封建制は、地方的割拠性や身分の固定などを克服し変容をうけ、新たに形成された資本主義も、この結合により封建制を色濃く残す国家独占資本主義に変容する。

複合的構成のもとで、一方では地主―小作関係などの封建的生産諸関係が再生産され地代を産み出し、一部は先進的な労働手段などに変換され、他方では資本―賃労働関係などの資本主義的生産諸関係が再生産され、剰余生産物を生産する。しかし、資本―賃労働関係が拡大再生産され、労働者が増加すればするほど、相対的に、農民層は減少する。地主―小作関係は維持されるが、複合的構成内で生産される全剰余生産物に占める地代の相対的比重は縮小する。資本―賃労働関係が自立化過程をあゆみはじめ、社会的富の主要な源泉にとってかわる。封建勢力と資本家とは当初こそ、経済的にも政治的にも、互いに必要としあうが、資本家階級は封建勢力を必要としなくなる一点にますます接近することになる。

注)「ラテンアメリカのブルジョアジーは…地主貴族と融合し、絡み合いながら生まれた」(アグスティン・クエバ『ラテンアメリカにおける資本主義の発展』P 82、大月書店、1981 年)。

注 2) レーニンは、「ヒルファディングは帝国主義と民族的抑圧の激化との関連を正当に指摘して次のように書いている」として、『金融資本論』から、「あらたに開発された諸国についていえば、そこでは、輸入された資本（注、原文では資本主義）は諸矛盾を増進させ、民族的自覚に目覚めつつある諸民族の侵入者にたいする抵抗をたえず増大させる。古い社会関係は根本から変革され、『歴史なき民族』の数千年来の農業的孤立は破壊され、彼らは資本主義の渦のなかに巻きこまれる。資本主義そのものが被征服者に、解放のための手段と方法をしだいにあたえてゆく」(『帝国主義論』国民文庫、P 157、大月書店、1995 年）と引用している。ただし、ヒルファディングは、被征服民族が、「独立運動」の目標に、「経済的および文化的自由の手段としての民族統一国家の建設を、おしたてる」として、社会主義をめざす非資本主義的発展を展望してはいない。

複合的構成を、一層の前進にとっての桎梏と感ずる諸勢力が成長する。当面の課題の一致と将来の問題での不一致とがある統一戦線が結成される可能性が与えられる。

資本主義社会同士の同時併存と交通のように、生産諸関係の面で同一な社会同士の交通により、発展過程を短縮することが可能になる一方、資本主義と封建制のように、異なる生産関係の社会との内外対立、封建制と資本主義的矛盾という三位一体的な矛盾は、発展過程の短絡である非資本主義的発展の道の可能性を与える。

注）レーニンのコミンテルン第二回大会での「民族・植民地問題小委員会の報告」（『レーニン全集』第31巻、大月書店、1959年）では、「以前ツァーリズムがもっていた植民地、トゥルケスタンその他のような後進国におけるロシア人共産主義者の実践活動は、共産主義的な戦術と政策を、前資本主義的な諸条件に適用する問題を、われわれに提起した。われわれの活動の実践的結果は、ほとんどプロレタリアートのいないところでも、大衆の自主的な政治的思考と自主的な政治活動への意欲を目ざめさせることができるということをも、しめした」として、「勝利した革命的プロレタリアートが、これらの（後進）民族のあいだで系統的な宣伝をおこない、ソヴェト政府が、自分のもっているすべての手段で、これらの民族の援助に乗りだすならば、資本主義的発展段階は後進民族にとって不可避だと考えるのは、まちがえである。あらゆる植民地と後進国で、われわれは、闘士の自主的なカードル、党組織を結成し、農民ソヴェトを組織するための宣伝をただちにおこない、農民ソヴェトを前資本主義的諸条件に適応させるようにつとめなければならないだけでなく、さらに、共産主義インタナショナルは、先進国の援助をえて、後進国はソヴェト制度へうつり、資本主義的発展段階を飛びこえて、一定の発展段階を経て共産主義へうつることができるという命題を確立し、理論的に基礎づけなければならない」としている。つづけてレーニンは、「それにはどのような手段が必要であるかを、まえもってしめすことはできない。実践上の経験が、それをわれわれに暗示するであろう」

と注意していた。

ソ連・東欧の崩壊をもって、「社会主義・共産主義の実験は失敗した」と断言することができないのは、それらの国が、社会主義社会への過渡期の社会でもなかったからであり、レーニンが探究した社会主義への道を踏み外した結果であった。非資本主義的発展の道は、いまだ全面的に実践されていないといえよう。

資本主義と封建制などの複合的構成の変革は、先端技術や使用方法、理論、政治・社会制度や運動など、先進社会が生み出した「肯定的諸成果」の獲得で、既存の先進社会より一層先進的な社会への発展の可能性を与える。彼我による閉鎖政策は、この可能性を著しく減少させるであろう。

2、国際貿易—2社会モデル

①はじめに

閉じた系と開かれた系について、「1、概説」では、特に社会的な連関について定性的な側面からとりあげた。ここでは、交通の一つの形態である国際貿易に焦点をしぼり、定量的な側面を概観する。本論は、広義の経済学と狭義の経済学の両方が援用され、たとえば、ある前資本主義社会の生産物X量は、購買力平価方式を用いて、資本主義社会の価値xに換算される等々。また最初から最後まで「価値」レベルで考察される。「価値」から「世界市場価格」への価値法則の修正も必要なのだが、本論では諸傾向がわかればよしとしたい。

課題に即して、いくつかの前提や仮定を設けることにする。

その一つは、世界を構成する諸社会は、発達した資本主義から発展途上の資本主義、伝統的共同体から封建社会などの前資本主義など様々な発展段階にあり、諸生産物は世界市場で価値どおりに交換されるものとする。

また、「2社会モデル」を想定し、どちらも拡大再生産をおこなっているものとする。複数社会の運動を同時に把握することは困難であるので、「多社会モデル」も、注目している社会とその他の諸社会との間の「2社会モデル」とみなす。

さらに、為替相場や関税率の操作、数量制限などを、さしあたり考慮しない。いわば、「公正な国際経済秩序」を仮定する。

最後に、国際交易に関するいくつかの恒等式や均衡式の存在のもとで、いかなる交易関係をとり結ぶべきかが問われる。

生産手段生産部門をⅠ部門とし添え字「１」、生活手段生産部門をⅡ部門とし添え字「２」とそれぞれ表記して「交易前の２社会モデル」を交通圏内の先端的資本主義社会をS、それを除く開放社会（前資本主義社会など）をS′として、一年間の生産量を次のように設定する。

$$S\ ;\ C1 + V1 + (X1+x1) + (Y1+y1) + (Z1+z1) \quad \text{—①}$$

$$C2 + V2 + (X2+x2) + (Y2+y2) + (Z2+z2) \quad \text{—②}$$

$$S'\ ;\ C'1 + V'1 + (X'1+x'1) + (Y'1+y'1) + (Z'1+z'1) \quad \text{—③}$$

$$C'2 + V'2 + (X'2+x'2) + (Y'2+y'2) + (Z'2+z'2) \quad \text{—④}$$

「不変資本」をC、拡大再生産に充てられ、自社会で確保される、追加的な「不変資本」をX、同じく拡大再生産に充てられ、他社会からの輸入により調達される生産要素全体のうち、自社会の剰余価値のなかの、「不変資本」部分の寄与をｘとする。「可変資本」をV、拡大再生産に充てられ、自社会で確保される、追加的な「可変資本」をY、同じく拡大再生産に充てられ、他社会からの輸入により調達される生産要素全体のうち、自社会の剰余価値のなかの、「可変資本」部分の寄与をｙとする。経済的支配者である「奴隷主」や「封建領主」、「資本家」などの個人的消費のうち自社会産をZ、社会 S′行きをｚとする。「剰余価値」をMとすれば、拡大再生産の場合、$M = \alpha(C) + \beta(V) + \gamma(Z)$となり、輸出入を考慮すると、「不変資本」について、自社会からの確保分をX、社会 S′行きをｘとすると、$\alpha(C) = X + x$、$\beta(V) = Y + y$、$\gamma(Z) = Z + z$となり、また、社会Sからみて、輸出は$(x + y + z)$、輸入は$(x' + y' + z')$となるが、$x = x'$などではなく、全体としての$(x + y + z)$＝全体としての$(x' + y' + z')$となる。

また、〝台木〟S′へ〝穂木〟大工業を〝接ぎ木〟するため、S′の（$X'+Y'+x'+y'+z'$）は大工業部門の導入に、（$C'+V'$）は農業と伝統的な軽工業の単純再生産に充てられものとする。

「交易後の２社会モデル」は次のようになる。

$$S\ ;\ C1+V1+(X1+x'1)+(Y1+y'1)+(Z1+z'1) \quad —⑤$$

$$C2+V2+(X2+x'2)+(Y2+y'2)+(Z2+z'2) \quad —⑥$$

$$S';\ C'1+V'1+(X'1+x1)+(Y'1+y1)+(Z'1+z1) \quad —⑦$$

$$C'2+V'2+(X'2+x2)+(Y'2+y2)+(Z'2+z2) \quad —⑧$$

ここでの課題は、x、y、zとx′、y′、z′を未知数とする、12元連立方程式を解くことにある。そのためには、最低、12個の関係式を見出さねばならない。

②国際経済の構造や傾向に関する法則

(1) 国際的な拡大再生産表式

２社会のⅠとⅠ′部門（生産手段生産部門）で生産された生産手段の合計｛$(C1+V1+X1+Y1+Z1+x1+y1+z1)+(C'1+V'1+X'1+Y'1+Z'1+x'1+y'1+z'1)$｝は、２社会で消費された生産手段の合計｛$(C1+X1+x1)+(C2+X2+x2)+(C'1+X'1+x'1)+(C'2+X'2+x'2)$｝に等しいので、

$$\{V1+Y1-(C2+X2)+(y1+z1-x2)\}+\{V'1+Y'1-(C'2+X'2)+(y'1+z'1-x'2)\}=0 \quad —⑨$$

生活手段についての検討でも同様な結論を得る。なお、交易のないSだけの拡大再生産表式をDとすると、

$D=\{V1+Y1-(C2+X2)+(y1+z1-x2)\}=0$

であって、⑨式は、交易のないS′だけの拡大再生産表式をD′とすると、

$D+D'=0$とも書ける。多社会モデルの場合は、$D+D'+D''+\cdots=0$となる。

この均衡式は、経済的水準や歴史発展段階がどうであれ妥当する。

(2) 国際的な貿易収支均衡式

前述のように、

$(x1+y1+z1)+(x2+y2+z2)=(x'1+y'1+z'1)+(x'2+y'2+z'2)$ ― ⑩

資本主義世界市場での交易は有償・等価交換であるが、一時的、短期的には、⑩式は成り立たない事態もありうるが、ここでの前提や仮定のもとでは、長期的には成立する。

1）$x+y+z=x'+y'+z'$の場合

さらに、次の場合がありうる。

- $x2+y2+z2=x'2+y'2+z'2$

他の要素は全てゼロ。これは、S′が主に農産物を輸出して、Sから主として大工業で生産した生活手段を輸入するような場合に相当する。この型の交易の長期化は、S′が奴隷制経済社会であれば中南米諸国にかつて多くみられたようなプランテーション農業をつくり出し、S′が封建制社会であれば、中世の東欧諸国のような再版農奴制にむかい、S′が低開発資本主義であれば、特定産品を主として生産するモノカルチュア経済に帰着するだろう。

● $x1 + y1 + z1 = x'2 + y'2 + z'$

これは、S′ が主に農産物を輸出して、Sから主として大工業で生産された生産手段を輸入する場合であり、大工業製品をSから輸入する代わりに自社会での生産を目的にしている。輸入代替工業化により、将来的に釣り合いのとれた経済に発展する可能性を秘めている。

2） $x + y + z < x' + y' + z'$ の場合

3） $x + y + z > x' + y' + z'$ の場合

⑩式がなりたたない事態とは、仮定からはずれた、一方による他方の経済的諸要素の暴力的収奪とか、逆に、一方による他方への経済的諸要素の無償供与の場合であろう。

(3) 生産技術格差と技術移転

2社会の交易前の技術格差を「資本」の有機的構成の格差で表し、

Ⅱ部門で、

$$(C2 + X2 + x2) / (V2 + Y2 + y2) > C'2 / V'2 \quad —⑪$$

Ⅰ部門では、

$$(C1 + X1 + x1) / (V1 + Y1 + y1) > C'1 / V'1 \quad —⑫$$

交易後、SからS′ へ技術移転がおこなわれる。技術移転は、「資本」の有機的構成の同一性によって表される。例えば、Sで運用される大工業機械装置（プラント）一基と、S′ に導入された同じ装置一基は、同一時間に同量の製品を生産するために、同量の原材料と同量の労働力を必要とするからである。Ⅱ部門では、

$$(C2 + X2) / (V2 + Y2) = (X'2 + x2) / (Y'2 + y2) \quad —⑬$$

Ⅰ部門では、

$$(C1+X1)/(V1+Y1)=(X'1+x1)/(Y'1+y1) \quad —⑭$$

(4) 交易依存範囲

S′によるSからの生産手段の調達についてみる。交易後、S′にある生産手段は、（C′＋X′＋x）であり、これを全てx′で調達するなら、ⅠとⅡ部門で、

$$0 \leqq x'1 \leqq C'1+X'1+x1 \quad —⑮$$

$$0 \leqq x'2 \leqq C'2+X'2+x2 \quad —⑯$$

次に、S′によるSからの生活手段の調達量についてみる。交易後、S′にある生活手段は、(V′＋Z′＋Y′＋y＋z）であり、これを全て（y＋z）で調達するなら、ⅠとⅡ部門で、

$$0 \leqq y'1+z'1 \leqq V'1+Z'1+Y'1+y1+z1 \quad —⑰$$

$$0 \leqq y'2+z'2 \leqq V'2+Z'+Y'2+y2+z2 \quad —⑱$$

⑱式で、(y′2＋z′2）は剰余生活手段（例えばコメ）の一部であり、自社会の主食を含む全ての農産物を輸出して、他社会の主食（例えば小麦）を含む農産物と大工業製品を輸入するという事態は、通常ありえない。S′の主食数を１種、Sの主食数を（s－1）種とし、合計s種あるとすると、⑱式は、

$$0 \leqq y'2+z'2 \leqq (V'2+Z'2+Y'2+y2+z2) \times (s-1)/s \quad —⑱'$$

となるだろう。sは、SとS′社会の、経済外的な構造定数ともいうべきものであろう。

(5) Sでの搾取率とS′に導入された大工業部門での搾取率

交易後、Sでの全剰余価値Mは、搾取率をｊとすると、M＝ｊ（V＋Y＋y′)。交易後、S′の大工業部門だけの全剰余価値M′は、Sの大工業の技術と経営をS′に移植したため、搾取率はSと同じｊとなり、M′＝ｊ（Y′＋y）となる。S′の大工業部門は徐々に拡大していくが長期にわたり、M≧M′であろう。もちろん、逆転することもありえるであろうが、さしあたり、

V１＋Y１＋y′１≧Y′１＋y１　　—⑲

V２＋Y２＋y′２≧Y′２＋y２　　—⑳

③ 12元連立方程式の解

12個の未知数に対し12個の関係式が整ったので、解を得ることが可能になった。

計算過程は次のとおり。

（1）ｘ１、ｘ２について

交易後の技術移転により、⑬式から、

y２＝（V２＋Y２）（X′２＋ｘ２）／（C２＋X２）－Y′２

—⑬′

⑭式から、

y１＝（V１＋Y１）（X′１＋ｘ１）／（C１＋X１）－Y′１

—⑭′

交易前の技術格差より、⑪式から、

y２＜（C２＋X２＋ｘ２）V′２／C′２－（V２＋Y２）

—⑪′

⑫式から、

$$y1<(C1+X1+x1)V'1/C'1-(V1+Y1) \quad —⑫'$$

⑬'⑪'式から、

$$(V2+Y2)(X'2+x2)/(C2+X2)-Y'2<(C2+X2+x2)V'2/(C'2+X'2)-(V2+Y2)$$

これから、

$$\{C'2(V2+Y2)-V'2(C2+X2)\}x2<C'2\times\{Y'2(C2+X2)-X'2(V2+Y2)\}-(C2+X2)\times\{C'2(V2+Y2)-V'2(C2+X2)\}$$

1）$C'2(V2+Y2)-V'2(C2+X2)>0$の場合

$$(C2+X2)/(V2+Y2)<C'2/V'2$$

となり、交易前の技術格差⑪式からありえない。

2）$C'2(V2+Y2)-V'2(C2+X2)=0$の場合

$$(C2+X2)/(V2+Y2)=C'2/V'2$$

となり、仮定に反する。この場合は、左辺はゼロになり、右辺は第1項だけが残り、

$$0<Y'2(C2+X2)-X'2(V2+Y2)$$

となる。これから、$(C2+X2)/(V2+Y2)>X'2/V'2$となり、技術移転⑬式とほぼ同様の事態をあらわす。

3）$C'2(V2+Y2)-V'2(C2+X2)<0$の場合

この場合だけが妥当であり、結果は、

$$x2>C'2X'2(V2+Y2)-(C2+X2)\times$$

（1＋C′2 Y′2）　— ㉑

同様に、

x1＞C′1 X′1（V1＋Y1）－（C1＋X1）×
（1＋C′1 Y′1）　— ㉒

（2）x′1、x′2について

㉑㉒式と⑮⑯式からx′1、x′2の範囲が決まる。

0 ≦x′1 ≦ C′1＋X′1＋x1　— ㉓
0 ≦x′2 ≦ C′2＋X′2＋x2　— ㉔

（3）y1、y2について

⑭式より、

x1＝（C1＋X1）（Y′1＋y1）／（V1＋Y1）－X′1

これと、㉒式から、

y1＞X′1（V1＋Y1）{(V1＋Y1）C′1＋X′1}／
(C1＋X1）－{(V1＋Y1）（1＋C′1 Y′1）＋Y1}
— ㉕

同様に、

y2＞X′2（V2＋Y2）{（V2＋Y2）C′2＋X′2}／
(C2＋X2）－{（V2＋Y2）（1＋C′2Y′2）＋Y2}　— ㉖

（4）y′1、y′2について

⑲㉕式と⑳㉖式から、

y′1＞Y′1－（V1＋Y1）＋y1　— ㉗

$y'2 > Y'2 - (V2 + Y2) + y2$ ―㉘

（5）w1、w'1（z1、z'1）について

⑨式より、

$w = y + z$

$A = \{(V1 + Y1) - (C2 + X2)\} + \{(V'1 + Y'1) - (C'2 + x'2)\}$

とすると、⑨式から、

$(x2 + x'2) - (w1 + w'1) = A$ ―⑨'

⑩式から、

$(x1 + x2) - (x'1 + x'2) + (w1 + w2) - (w'1 + w'2) = 0$ ―⑩'

また、$B' = V' + Z' + Y'$として、⑰式より、

$0 \leqq w'1 \leqq w1 + B'1$ ―⑰'

⑱式から

$0 \leqq w'2 \leqq (w2 + B'2)(s - 1) / s$ ―⑱'

w1、w2、w'1、w'2についての4つの方程式ができる。

⑰'式に辺々、w1を加えて、

$w1 \leqq w1 + x'1 \leqq 2w1 + B'1$

⑨式を使うと、

$w1 \leqq A - (x2 + x'2) \leqq 2w1 + B'1$

これから、

$\{A - B'1 - (x2 + x'2)\} / 2 \leqq w1 \leqq A - (x2 + x'2)$ ―㉙

⑨′㉙式より

$2(x2+x'2)-2A \leqq w'1 \leqq 3A/2-3\times$

$(x2+x'2)-B'1$ —㉚

（6）w 2、w′ 2（z 2、z′2）について

⑩′式から、

$w'2=w2+(x1+x2)-(x'1+x'2)+(w1-w'1)$

となる。

$E=(x1+x2)-(x'1+x'2)+(w1-w'1)$

とする。⑱は、$w'2=y'2+z'2$、$B'2=V'2+Z'2+Y'2$、$w2=y2+z2$だから、

$0 \leqq w'2 \leqq (B'2+w2)(s-1)/s$

となる。両式より、

$0 \leqq w2+E \leqq (B'2+w2)(s-1)/s$

これから、

$0 \leqq w2 \leqq sB'2-(B'2+sE)$ —㉛

⑩′式から、

$w2=w'2-E$

これと⑩′式から、

$E \leqq w'2 \leqq (B'2-E)(s-1)$ —㉜

④解と結論

● $x2>C'2\ X'2\ (V2+Y2)-(C2+X2)\times$

$(1+C'2\ Y'2)$ —㉑

● $x1>C'1X'1\ (V1+Y1)-(C1+X1)\times$

$(1+C'1\ Y'1)$ ―㉒

●$0 \leqq x'1 \leqq C'1+X'1+x1$ ―㉓
●$0 \leqq x'2 \leqq C'2+X'2+x2$ ―㉔

●$y1 > X'1(V1+Y1)\{(V1+Y1)C'1+X'1\}/(C1+X1)$
$-\{(V1+Y1)(1+C'1\ Y'1)+Y1\}$ ―㉕
●$y2 > X'2(V2+Y2)\{(V2+Y2)C'2+X'2\}/(C2+X2)$
$-\{(V2+Y2)(1+C'2\ Y'2)+Y2\}$ ―㉖

●$y'1 > Y'1-(V1+Y1)+y1$ ―㉗
●$y'2 > Y'2-(V2+Y2)+y2$ ―㉘

●$\{A-B'1-(x2+x'2)\}/2 \leqq w1 \leqq A-(x2+x'2)$
―㉙

●$2(x2+x'2)-2A \leqq w'1 \leqq 3A/2-3(x2+x'2)$
$-B'1$ ―㉚

●$0 \leqq w2 \leqq sB'2-(B'2+sE)$ ―㉛
●$E \leqq w'2 \leqq (B'2-E)(s-1)$ ―㉜

前記の関係式以外にも、構造や運動・傾向について、利潤率の傾向的低落、モノカルチャー化と釣り合いのとれた発展、生産力格差と工業化の速度、有機的構成の高度化と均等化、労働時間・睡眠と余暇時間の均等化、大工業と農業・軽工業の比率などがあろう。どの 12 個の関係式の組み合わせでも同様な結果が期待される。

注）S′でのと大工業部門と農業・軽工業部門の比率

交易後、S′の農業・軽工業部門の全剰余価値をM′、S′の大工業部門だけの剰余価値をm′とする。農業・軽工業部門の搾取率と大工業部門の搾取率J′が等しいとすると、 M′＝J′（V′1＋V′2）、m′＝J′（Y′1＋Y′2＋y1＋y2）。比較的長期にわたり、M′≧ m′だから、V′1＋V′2 ≧Y′1＋Y′2＋y1＋y2。M′とm′の逆転は、封建勢力と工業化勢力の逆転を意味するであろう。

「後進」社会の経済の相対弁証法的発展の特殊形態は、公正な交易の諸条件のもとで、交易の数量的な制限を満たせば、理論的に可能になる。この数量的な制限から逸脱する観念的な経済政策や交易遮断、不公正な交易条件の元では正常な発展は望めないであろう。

3、国際貿易—生産の循環、交易と生産の運動、交易の制限度

２社会モデルは、現実的ではあるが、交易品目は限定され、範囲は狭く、選択性もない。３社会モデルは、交易品目は多少広がりをみせるが、その範囲はまだ狭い。しかし、相手の２社会間の動向に左右されるのが新しい特徴になっている。多社会モデルでは「選択」や「分割率」が現れる。数式は複雑なので２社会モデルにとどめておく。

① 生産の循環、交易と生産の運動

生産手段をＰｍ、労働力をＡ、生産資本をP、商品ををW、増分をΔとして、産業資本の循環はG—W（Pm、A）…P…（W+ΔW）—（G＋ΔG）—となる。Ⅰ部門の、世代の（１）期の生産手段をＰｍ１（１）などとすると、生産手段の循環は、Ⅰ部門やⅡ部門では、増分を考えないと、

Ⅰ部門｛Ｐｍ１（１)、Ａ１（１)｝－Ｗ１（１）—…—｛Ｐｍ１（ｎ)、Ａ１（ｎ)｝－Ｗ１（ｎ）—

Ⅱ部門｛Ｐｍ２（１)、Ａ２（１)｝－Ｗ２（１）—…—｛Ｐｍ２（ｎ)、Ａ２（ｎ)｝－Ｗ２（ｎ）—

●Ｗ２の循環＝Ｗ２（１）—…—Ｗ２（ｎ）
●｛Ｐｍ２、Ａ２｝の循環＝｛Ｐｍ２（1)、Ａ２（1)｝—…—｛Ｐｍ２（n)、

A２（n）｝

これらの循環は、生活手段と生活手段の生産手段などが発展していく過程・世代をあらわしている。W1とPm1についても同様。

●W１の循環＝W１（1）—…—W１（n）

●｛Pm1、A1｝の循環＝｛Pm1（1)、A1（1)｝—…—｛Pm1（n)、A1（n)｝

SとS′の間で、W＋剰余生産物wのうちwを交易に使用するとする。

(1) 交易w′2（m）＝w２（n）について

この交易が初めてであれば、S′からみて、Sでの生活手段の発展系列｛W２（1）→…→W２（n－1）｝は消え失せ、あるいは、飛び越えていて、w２（n）のなかに総括されている。S′は、w２（1）などからでなく、最新のw２（n）から入手することができる。あるいは、w２（1）からw２（n）までのどれでも獲得できる。時間的・世代的選択性が現れる。

さらに、w２（n＋1)、w２（n＋2)、w２（n＋3)、…などとの交換で、製品の発展系列｛w２（n＋1）→w２（n＋2）→w２（n＋3)｝についての「情報」を知ることができる。Sからみても同様であって、生活手段についての「情報交換」がおこなわれる。また、S′とS″との交易w′2（k）＝w″2（l）など、多社会間での交換を考えれば、交易w'2（m）＝w２（n）は、多数の交換の一つにすぎず、多社会間の「選択」が可能になる。地理的選択制と時間的・世代的選択性が同時に現れる。S′には相対弁証法的発展が可能である一方、Sでは、さらなる絶対弁証法的発展が必要になる。

「新旧」(時間的)や「特産」(空間的)の生活手段が併存する状態にあり、w′2（m）は、Sの無数の生活手段と交換されうる。w２への渇望は、

S′に反作用し、w′1の増産への渇望を高め、交易が国家的事業であれば農業などに従事する生産者への収奪を強化することになり、再版奴隷制や再版農奴制などが現れるようになる。

(2) 交易w′2 (m) ={Pm2 (n)、A2 (n)}の一部について

前述と同様に、S′からみて、発展系列 {Pm2 (1)、A2 (1)} →…→ {Pm2 (n－1)、A2 (n－1)} は消え失せ、飛び越えていて、{Pm2 (n)、A2 (n)} のなかに含まれている。{Pm2 (n＋1)、A2 (n＋1)}、{Pm2 (n＋2)、A2 (n＋2)}、…などとの交換で、発展系列 {Pm2 (n＋1)、A2 (n＋1)} → {Pm2 (n＋2)、A2 (n＋2)} についての「情報」を知ることができる。たとえば、数人がかりで運転される小規模な機械設備（動力機、伝動機、作業機の三要素で構成）の複数使用の段階から、数十人、数百人で運転される大規模な機械設備の段階、さらに動力機、伝動機、作業機の三要素に加え感知・制御（センサー・コントロール）機能の四要素で構成された省力化工場の段階への発展についての「情報」をあげることができる。Sにとっても同様であり、生活手段の生産手段とその生産方法、労働力とその編成などについての「情報交換」がおこなわれる。

「新旧」の生活手段が併存状態にあり、{Pm2 (n)、A2 (n)} への渇望は、国家的事業であれば、S′では「輸入代替工業化」に向かい、S′内では伝統産業との有機的な二重構造ができあがるだろう。2社会モデルなので「二重化」としたが、質的には「複合化」と呼ぶのがふさわしいだろう。

(3) 交易w′2 (m) = {Pm1 (n)、A1 (n)} の一部について

(2) と同様に、S′からみて、発展系列 {Pm1 (1)、A1 (1)}

→…→｛Pm1（n−1）、A1（n−1）｝は消え失せ、飛び越えていて、｛Pm1（n）、A1（n）｝のなかに含まれている。｛Pm1（n+1）、A1（n+1）｝、｛Pm1（n+2）、A1（n+2）｝、…などとの交換で、発展系列｛Pm1（n+1）、A1（n+1）｝→｛Pm1（n+2）、A1（n+2）｝などの「情報」を知ることができる。Sにとっても同様であり、生産手段の生産手段と生産方法、労働力のあり方と編成などについての「情報交換」がおこなわれる。

「新旧」の生産手段が併存状態にあり、｛Pm1（n）、A1（n）｝への渇望は、国家的事業であれば、S′では「輸出代替工業化」に向かい、S′内では伝統産業との有機的な二重構造ができあがる。⑵とあいまって、S′では二重構造のⅠ、Ⅱ部門の経済を土台に法、政治から頂点の思想・イデオロギーまでが二重化する。土着と舶来、伝統と外来が有機的に絡まりあい、複合化する。このイデオロギー面での現れでは、日本の明治期以来の国粋主義（尊王）と欧化主義（脱亜入欧）の融合（和魂洋才）と排斥（攘夷）は典型例だろう。

S′の地理上の「特産」が交易によってSの地理上の「特産」と時間上の「新」に変換され、S′の時間上の「旧」が交易によってSの「特産」と「新」に変換される。いわば「空間′」＝「空間」＋「時間」、「時間′」＝「空間」＋「時間」ということになり、交易の結果、S′では「空間′」＋「時間′」＋「空間」＋「時間」という融合が生まれる。交易による変換式は、物理学の特殊相対性理論のローレンツ変換式と同じ形式だが、ローレンツ変換の場合は座標系Q′の空間、時間座標x′、t′が座標系Qの空間、時間座標x、tで、たとえばx′＝f（x、t）とあらわすことができ、座標系Q′からみて、xとtが「融合」していても、x′とxが結合・融合することがないのに対し、社会Sと社会S′の交易の場合は、「空間」

的要素と「時間」的要素が結合・融合しあい、反発・対立しあいもする。

（4）S′による｛Pm1（n)、A1（n)｝の一部の受け入れについて

多国籍企業（資本）による「現地生産」や「海外直接投資」を受け入れるためには、各種のインフラ整備が不可欠になる。資本主義経済や市場経済を容認する法整備、通年就業が可能な労働者群をつくりだす農業・土地「改革」と労働市場の創出、水道やエネルギ－などの産業・生活基盤整備、交通・運輸の革新、研究・教育体制の確立などが必要だろう。

S′は、原始共同体—奴隷制—封建制—資本主義—社会主義・共産主義という五段階の経済的社会構成体の発展系列に関する「情報」を知ることができる。前途に横たわっているとされる特定の歴史段階に移行することなく、複合的な経済的社会構成体が形づくられる。それは敵対的な対立を経てか、より理性的にか、いずれにせよより高度な構成体に純化される可能性がある。

注）「1973～1982年にかけて、わが国（日本—引用者）の鉄鋼業界は総力を挙げて韓国浦項製鉄所の建設を援助した。技術内容は最高のものであった。当時わが国の製鉄技術水準は、世界最高級の域に達していたから、出来上がった浦項製鉄所は、とりもなおさず世界一の技術水準をもつことになる。日本の鉄鋼業が1901年（明治34年）官営八幡製鉄所として創業し…達成した世界一水準の高い技術内容を、韓国はわずか10年間で手に入れたことになる」（石田壽朗著『ポスト・モダンの経済学』、P 98、中央経済社、1995年）。著者は新ケインズ経済理論の展開に熱心で、「情報化社会の進展」の一例として紹介している。また、「『文明』を構成する科学技術・政治制度・経済組織・法律体系などは、普遍性をもっているものであるから、どこでも移転しうるものである」とも一般化している。

さらに「『バレー・ボール効果』とは何か。それは狭い地域に異質

の伝統・言語・習慣をもつ民族が割拠し、域内で一国の科学研究が停滞したとき、別の国がその任務を担当して技術移転効果を高めて、結果として地域全体の技術水準を高めることである。…筆者はヨーロッパに滞在中に、なぜイギリスに産業革命がおこったか、なぜ近代ヨーロッパに科学・技術文明が発生したか、またなぜ20世紀に大西洋を隔てて西ヨーロッパと北アメリカを中心とする大西洋経済圏が成立したかを調査・研究した。その結果が『バレーボール効果』による近代ヨーロッパの技術革新であり、それを促したものは17世紀ヨーロッパの戦乱とペスト禍による危機意識であったことを理解した。…『バレー・ボール効果』はこのようなヨーロッパの近世から近代にかけての技術史の分析によって生み出された筆者の造語である」（同、P 144）という。「バレー・ボール効果」は「相互作用」と呼べばよい。

② 交易の制限度

Sからの輸出（$x+y+z$）をxで代表させ、S′からの輸出（$x'+y'+z'$）をx'で代表させる。

交易には、わずかであっても反対給付を必要としない交易も含まれるのであって、この反対給付を必要としない無償分を含む、一般的な交易の制限度を考察してみる。また、交易品の数量制限や関税、外国為替レートは、「経済外的強制」の所産とする。

貿易の収支は、S′からみて、輸出x'＞輸入xは出超、$x'=x$は等価、$x'<x$は入超ということになる。しかし、貿易収支（$x'-x$）は、外国為替レートの変動で変化するとはいえ、すべて反対給付が必要な有償分と仮定していた。そこで、反対給付を必要としない無償分を含んでいたらどうなるかを考えてみる。x'、xを次のようにする。

$x' = x'$有償$+\ x'$無償

$x\ = x$　有償$+\ x$　無償

経済的交通としての交易の制限度（＝有償分／無償分）をaとして、

$a =（x有償 + x'有償）／（x無償 + x'無償）$

と表したとき、a＝0ならば、反対給付が不要で貿易に制限はなくなると考えることができる。また、

S′貿易の収支度（＝輸出／輸入）をbとして

$b =（x'有償 + x無償）／（x有償 + x無償）$

で表す。b＞1ならx′＞x、b＝1ならx′＝x、b＜1ならx′＜x、になる。

また、

$x有償／x無償 = \alpha$

$x'有償／x'無償 = \beta$

とすると、4個の式から、

$b =（x'無償／x無償）〔(\beta + 1)／(\alpha + 1)〕$

だから、

$a = 〔\alpha(\beta + 1) + b\beta(\alpha + 1)〕／〔(\beta + 1) + b(\alpha + 1)〕$

をえる。

また、

$x無償／x有償 = K$

$x'無償／x'有償 = L$

とすると、K＝1／α、L＝1／βなので

$a = 〔(L + 1) + b(K + 1)〕／〔K(L + 1) + bL(K + 1)〕$

をえる。

有償交易では、K、L＝0（α、β＝無限大）だから、a＝（b＋1）／0＝無限大となる。これにたいし、α、β→0ならば、a＝0／1＝0になる。つまり、αの定義からも当然、

無限大 ≧ 交易の制限度a ≧ 0

いくつかの例をあげると、

α、β = 1なら、a = 1 。α = 0、β→大なら、a = bβ ／（β + b + 1）→b。β = 0、α→大、a = α ／（α b + b + 1）→1／ b。

輸出と輸入に占める無償分度γ、δを次のようにすれば、

x無償 ／（x無償+ x有償） = γ

x′無償 ／（x′無償+ x′有償 ）= δ

α + 1 = 1／ γ、β + 1 = 1／ δだから、

a = 〔(1 − γ） + b (1 − δ)〕／（γ + b δ）

ただし、0≦γ、δ≦1。また、

b = (1 − γ − a γ）／（a δ − 1 + δ）

いくつかの例をあげると、

γ、δ = 0のとき（すべて有償)、a = （1 + b）／0 = 無限大。γ、δ = 1のとき（すべて無償)、a = 0／（1 + b ）= 0。γ = 1、δ = 0のとき、a = b。γ = 0 、δ = 1のとき、a = 1 ／ b。γ = 1 ／ 2、δ = 1／2のとき、a = 1 。γ、δ = 3／4のときa = 1／3 。γ、δ = 4／5のときa = 1／4。γ、δ = 99／100のときa = 1／99。γ = 1／100、δ = 0のとき、a = 99 + 100 b。

これまでは、要素x（生産手段)、y（労働力)、z（剰余生産物の搾取者の消費）の区別をつけないで論じてきた。しかし、現実の交易では、モノ、ヒト、金がゆきかい、その役割は、それぞれ異なる。なかでも、交換（S′ の農業生産物 = Sの工業的労働手段 + Sの熟練労働者 + S′の未熟練労働者）は、工業化にあたり決定的に重要であった。

拡大再生産と自己完結社会、有償交易、有償と無償交易の併存、無

償交易状態について考える。

ブルジョア国際経済学は、交換や交易が、必ず反対給付を必要とする有償交換、交易だと思いこんでいる。

自己完結社会Ｓの拡大再生産の条件式は、「国際貿易―２社会モデル」で検討したように、Ｃ、ＶをＣとして、Ｘ、Ｙ、ＺをＸとして、ｘ、ｙ、ｚをｘと簡略化して、

Ｄ（Ｃ、Ｘ、ｘ）＝０

であった。

また、交易しあう２社会の場合、ＳとＳ′の、釣り合いのとれた拡大再生産の条件式と交易は、Ｄ′＝Ｄ（Ｃ′、Ｘ′、ｘ′）にかえると、

Ｄ（Ｃ、Ｘ、ｘ）＋Ｄ（Ｃ′、Ｘ′、ｘ′）＝０

ｘ＝ｘ′

であった。

そして、有償分と無償分を考え、ｘ＝ｘ有＋ｘ無などとすると、

Ｄ（Ｃ、Ｘ、ｘ有＋ｘ無）＋Ｄ（Ｃ′、Ｘ′、ｘ′有＋ｘ′無）＝０

ｘ有＋ｘ無＝Ｘ′有＋ｘ′無

となる。とくに、ｘ有／ｘ′有〜１。有償部分の金額の支払い関係はあるものの、交易量については、拡大再生産の条件式を満たしていればよいということになる。

そして、一方でｘ有とｘ′有→０なら、

Ｄ（Ｃ、Ｘ、ｘ無）＋Ｄ（Ｃ′、Ｘ′、ｘ′無）＝０

ｘ無＝ｘ′無

となる。他方で、ｘ無、ｘ′無→０なら、

Ｄ（Ｃ、Ｘ、ｘ有）＋Ｄ（Ｃ′、Ｘ′、ｘ′有）＝０

ｘ有＝ｘ′有

となる。そして、ｘ有＝０、ｘ′有＝０なら、自己完結社会状態にもどり、

D（C、X）＝0

D（C′、X′）＝0

になる。

自己完結社会の状態から、交易が開始され有償交易がおこなわれる状態、有償交易と無償交易が併存する状態、無償交易だけの状態への発展を表す。

無償交易だけでなく、釣り合いのとれた拡大再生産をめざす社会主義・共産主義社会間の交換と交易を支配する法則は、C、X→C無、X無などになることによって、

D（C無、X無、x無）＋D（C′無、X′無、x′無）＝0

x無＝x′無

ということになろう。反対給付が不必要な交換・交易とはいえ、生産要素間の数量の関連が守られてはじめて、釣り合いのとれた拡大再生産が可能になる。

4、国際貿易―マルクス『資本論』第1部にそって

（『資本論』は新日本出版社、1982年初版より）

① はじめに

「国際貿易―2社会モデル」の冒頭で述べたように、本論は、広義の経済学と狭義の経済学の両方が援用され、たとえば、ある前資本主義社会の生産物X量は、購買力平価方式を用いて、資本主義社会の価値xに換算される等々。また最初から最後まで「価値」レベルで考察される。「価値」から「世界市場価格」への価値法則の修正も必要なのだが、本論では諸傾向がわかればよしとしたい。

第1に、『資本論』第1部は原始的な共同体と共同体との接触によって商品が生まれるとしながら、社会の存在諸形態や交通、交通諸形態、交通諸関係を詳しく論じることなく、市場経済をふまえて、「商品一般」から出発する。第2に、当時のイギリスからの機械設備類の輸出は輸出総額の5％程度にすぎないことが、一般紙に寄稿したマルクスの評論からみてとれ、『資本論』第2部での再生産過程・価値実現論では、「全商業世界を一国とみなす」という単純化、すなわち理論的には同一価値の商品の交換でさえあればよいことから、交換相手が機械設備であっても、機械設備類の輸出がもたらす影響がきわめて限定的であるとして、輸出入それ自体を捨象し交易諸関係を内的諸関係とみなしている。国家による選択の余地はもはやないことになる。第3に、『資本論』第3部の地代論などで、典型国（イギリス）の自発自展的な発展段階の時系列を標準

的な発展過程とみなし、それを横に倒した配列と、他の遅れた諸国の発展段階の並列的・空間的配列を同一視する方法がとられている。『資本論』の前文では「先進国は後進国にとってその未来像を示す」とされた。

これらにより、ある社会と他の社会との、先進国と途上国との相互作用は捨象されることになる。

それに対し、本論は「商品一般」から、出発しない。市場には生活資料として個人的な欲望に応える商品から、集団的労働組織を強制して搾取の果実をもたらすという使用価値をもつ、集団的労働によってしか稼働しえない機械設備―集団的あるいは共同的労働手段という商品をふくむ。一方では多数の地方通貨が現れ、その中から金などの世界通貨が定着するようになる。他方ではこの世界通貨を介して途上地域の特産物が機械設備類と交換される。

「世界市場」は拡張と収縮を繰り返しながら、次第に膨張をとげ、地理的広さ、対象商品の種類上の広さ、必要労働が生産する生産物群までをも交易対象にするという深さ、実体経済と金融経済などとの絡み合いなどの複雑さを増大させてきた。本論は、冒頭から諸社会・地域・国から成る市場経済や「世界市場」をすえ、『資本論』の展開にそって、集団的労働手段商品を含めた交易が引き起こす現象を論じる。

② 商品

『資本論』本文の１ページ目は、「研究は商品の分析から始まる。…どのようにして物が人間的欲求を満たすか―直接に生活手段として、すなわち享受の対象としてか、それとも、回り道をして、生産手段としてか―ということも問題ではない」と始め、生産手段商品に注目せず、「二重の観点から、質および量の観点から考察されなければならない」

（第一分冊、P59 ～ 60）と使用価値・交換価値論へとつづく。

しかし、本論では、商品全般の中から、商品は「生活手段商品」と「生産手段商品」に分け、生産手段商品は、「労働対象商品」と「労働手段商品」に分ける。「使用価値」は、個人的欲求を満たす、生活手段としての使用価値、労働対象・労働手段としての使用価値がある。また、労働手段は、個人使用の労働手段（個人的労働手段）―個人による労働対象の加工から、集団使用の労働手段（集団的労働手段）―通年にわたり労働する社会的労働者集団を「監督者」の指揮のもとでの労働対象の加工―などの形態がある。集団的労働手段は、機械制大産業の物質的基礎を築けるという使用価値をもつ。

③ 価値形態論

単純な、個別的な、または偶然的な価値形態から、全体的な、または展開された価値形態から、一般的価値形態、貨幣形態への流れは、次のようになる。

①上衣Ｘ量＝時計Ｙ量など

『資本論』の表式の「その他」に労働対象、労働手段を加えて、

②上衣Ｘ量＝時計Ｙ量

＝金Ｚ量

＝銀や銅、他の金属Ｚ′量

＝労働対象・綿布Ａ量

＝個人的労働手段・ハサミＢ量

＝集団的労働手段・織機Ｃ量

③金Ｚ量＝時計Ｙ量

・

・

・

＝集団的労働手段・織機Ｃ量

④上衣Ｘ量＝労働対象・綿布Ａ量

＝集団的労働手段・織機Ｃ量

⑤上衣Ｘ量＝金Ｚ量あるいは世界貨幣Ｚ″量

④ 交換過程、貨幣または商品流通

世界市場を介しての交換過程であり、貨幣や商品の流通なので、諸社会・地域・国の対象商品を含んでいる。

①金あるいは世界貨幣＝綿布、織機など。綿布、織機などと個別に交換される。②上衣＝綿布＋織機など。上衣が直接的に２者と交換される。③上衣＝金あるいは世界貨幣＝綿布＋織機など。上衣が金・世界貨幣を介して交換・流通する。④集団的労働手段の場合は、上衣＝集団的労働手段と交換・流通する。通年労働者集団は、集団的労働手段の稼働条件であって、それを導入した社会にたいし稼働環境の整備を強制する。

⑤ 貨幣Ｇの資本への転化

貨幣Ｇの資本への転化を表式で示すと、第１に、Ｗを資本主義的商品、Δは増分として、

①Ｇ－Ｗ（生産手段Ｐｍ＋労働力Ａ）…Ｐ…（Ｗ＋ΔＷ）－（Ｇ＋ΔＧ）

第２に、Ｗ′を前資本主義的生産物（以後、前資本主義的要素には添字′をつける）として、世界通貨Ｇは、一部のＷ′－Ｇから入手し、世界の集団的労働手段市場から調達して、内的要素になるので、

②G－W′（集団的労働手段・労働対象Pm＋外国人技師・内外労働力A、A′）…P′…（W′＋ΔW′）－（G′＋ΔG′）となる。

前資本主義経済に資本主義的生産過程が接ぎ木され、経済的な複合構造がつくりはじめられる。生産手段Pmと前資本主義Pm′では、労働対象については、前資本主義的生産で得られた労働対象が資本主義部門の原料になったり、その逆もありうる。労働力Aと前資本主義の労働力A′については、前資本主義部門から資本主義部門へ配置されたり、その逆に資本主義部門から前資本主義部門へ還流したりする。世界市場では、前資本主義的生産物と資本主義的生産物が並べられて売買され、売り上げは一つの金庫に収められ、後日、資本主義部門と前資本主義部門との間で配分される。ヒト・モノ・カネが絡み合うことになる。接ぎ木から複合化状態になる。再生産表式はまた、階級関係の再生産も表し、前資本主義的階級関係と資本主義的階級関係の再生産にもなっていて、さらに両者は絡まり、複合化されている。

資本主義経済では商人資本｛G－W－（G＋ΔG)｝、産業資本｛G－W…P…（W＋ΔW）－（G＋ΔG)｝、銀行資本｛G…（G＋ΔG)｝がある。奴隷制社会や封建制社会での収奪Δには、賦役｛A′…（A′＋ΔA′)｝、物納地代｛W′…（W′＋ΔW′)｝、金納地代｛G′…(G′＋ΔG′)｝があった。

並存状態では、前資本主義的収奪ΔA′、ΔW′、ΔG′は奴隷主や封建領主へ、資本主義的搾取ΔGは資本家へ。奴隷主や領主の決断によって前資本主義経済と資本主義経済とが結合されたとき、ΔG＋ΔA′＋ΔW′＋ΔG′が奴隷主、領主に貢がれ、それにより奴隷主・領主が資本家化もする。

定式の諸矛盾について、資本主義経済のもとの労働過程は同時に価値増殖過程であって、労働力Aは価値を増殖する使用価値をもつとすると矛盾はとける。前資本主義経済の場合でも、労働力A′は剰余生産物を生産するという使用価値をもち、賦役ΔA′、物納地代ΔW′、金納地代ΔG′を産み出す。

⑥ 絶対的剰余価値の生産

絶対的剰余生産物の生産には、資本主義経済の場合には、労働時間の延長によって、前資本主義経済の場合には、賦役日数増、物納量増、金納額増によっておこなわれる。

剰余価値率と労働力の搾取率は資本主義経済では剰余価値M÷労働力の価値Vであり、前資本主義経済では収奪率は、分母はいずれも個人（家族）分として、賦役日数÷労働日数、物納量÷生産物量、金納額÷金額に換算した場合の価値額、および分子の組み合わせ合計÷分母の総計で与えられる。

前資本主義経済と資本主義経済の複合化によって、前資本主義的剰余生産物量および資本主義的剰余価値額の合計が問題になるが、剰余生産物量を購買力平価方式などを用いて一定の価値額に換算することにより統一的に扱うことが可能になる。

労働日の限界、昼夜労働について、生産者自身の肉体的限界があり、睡眠時間が確保されねばならず、労働対象が生物なのか非生物なのかという性格からくる限界があり、社会的限界がある。睡眠時間に加え、その時代が要求する余暇時間が必要になる。

剰余価値の率と総量について、第1に資本主義経済の場合、率は剰余価値M÷労働力の価値（可変資本）であり、総量は労働者数をN、一人あたりの平均剰余価値をｍとすれば、M＝Nm。第2に前資本主義経済の場合、率は剰余生産物量M′÷必要生産物量V′であり、総量は生産者

（農民）数N′、一人あたりの平均剰余生産物量m′とすると、M′＝N′m′となろう。第3に、前資本主義社会が集団的労働手段を導入して剰余価値Mを増加させることを通して、剰余生産物および剰余価値の合計の率と総量を増やすことができる。M／V＞M′／V′の傾向や、M＞M′になるであろう。

⑦ 相対的剰余価値の生産

資本主義的剰余価値と前資本主義的剰余生産物の合計を増加させるうえで生産性の向上が欠かせない。機械設備の発展について、その生産性をさらに高めるために、機械の3要素（原動機、伝道機、作業機）に加え第4の要素—感知・制御（センサー・コントロール）機能が付与され、操作労働や監督・指揮労働が省力化される。原動機の世代交代として、第1世代の水力、第2世代の蒸気力、第3世代の内燃エンジン、第4世代の電気力が知られている。原子力は、再生可能エネルギーなどへの転換が急務になっている。

世界市場への参入や先進的な社会・地域・国などとの交易で家内制手工業—マニュファクチュア—機械制工業という長期の発達過程を経ることなく、前資本主義社会は最先端の生産技術と労働力編成方法を手に入れることができる。導入形態には、産業育成のため国家資金を使う国家的導入、国家が許可を与えた外資系企業の導入、私的資金を使った先端技術の私的導入などがある。

⑧ 絶対的および相対的剰余価値の生産

資本主義的搾取には、絶対的剰余価値の生産を通じた搾取と相対的剰余価値の生産を通じた搾取がある。封建制的収奪には、剰余生産物生産を強要する賦役形態、剰余生産物を献上させる物納形態、生産物を市場で貨幣化させ剰余生産物に相当する貨幣額を収めさせる金納形態があった。

前資本主義の要素にカンマを付け、1年間に、生産物に移転する生産手段の価値をC（不変資本）、C′とし、資本主義部門での1年間の生産量をS＝C＋V＋M、前資本主義部門のそれをS′＝C′＋V′＋M′とすると年間の総生産はS＋S′。年間の労働者数N、労働時間T＝必要労働時間 t_0 ＋剰余労働時間 t、生産性 u= C ／（V＋M）（資本の有機的構成はC／V）、労働の強度 k＝S／N、1人あたりの平均的必要労働力の価値を v とすると必要労働の価値V＝N v、剰余価値M＝Nmとすると、資本主義部門のM＝ t k N ／（T＋ u t_0）、前資本主義部門のM′＝ t′k′N′／（T′＋ u′ t'_0）となる。

剰余価値率 J ＝剰余生産物価値÷必要生産物価値＝M／V＝ t ／t_0 ＝m ／ v_0、剰余価値率 J′＝剰余生産物価値÷必要生産物価値＝M′／V′＝ t′／ t'_0 ＝m′／ v′。

両部門を含む経済全体の剰余価値率＝（M＋M′）／（V＋V′）。M ／ V＞M′／ V′の傾向なのでM ／ V＞（M＋M′）／（V＋V′）＞M′／ V′になる。全経済の剰余価値率を高めるためには両部門で資本の有機的構成（あるいは生産性）を高めるとともに、それ以上に必要労働時間を短縮することと、剰余労働時間をふやし、労働の強度を高める必要がある（u t_0 と u′ t'_0 →小、 t と t′→大、 k と k′→大）。絶対的剰余価値生産と相対的剰余価値生産の両方法が組み合わされ、前資本主義部門の生産性や労働の強度は資本主義部門並みに高められ、資本主義部門の剰余労働時間は前資本主義部門並みに延長される。

⑨ 労賃

前資本主義部門と導入された資本主義部門が並存状態にある社会・地域･国では､それらが単純な並存ではなくなり､両部門が相互に影響しあい､絡まりあい、複合化する。その源流は前資本主義的支配にある。資本主義部門の賃金労働者の賃金は、前資本主義部門による下減圧力が加わり、農奴や奴隷の必要労働価値水準にとどまるだろう。

⑩ 資本の蓄積過程

単純再生産と拡大再生産

①資本主義的剰余価値の分割､生産拡大(1)単純再生産はG－W－(G＋ΔG［資本家が消費］)(2)拡大再生産はG－W－（G＋ΔG)、ΔGを分割＝α（追加資本）＋β（資本家の消費）により、(G＋α）－W－（G＋ΔG＋α＋β)

②前資本主義的剰余価値の分割、生産拡大（1）単純再生産はW′…(W′＋ΔW′)(ΔW′は前資本収奪者が消費)(2)拡大再生産はW′…(W′＋ΔW′)、ΔW′を分割＝γ′(追加資材）＋δ′(前資本収奪者が消費)、W′＋γ′…W′＋ΔW′＋γ′＋δ′(前資本収奪者が消費)

③資本主義・前資本主義複合の場合の分割、生産拡大（1）単純再生産はG—W—（G＋ΔG)、W′…（W′＋ΔW′）、ΔGとΔW′は搾取・収奪者が消費（2）拡大再生産は（G＋α）－（W＋ΔW）－（G＋ΔG＋α＋β)、W′＋γ′…W′＋ΔW′＋γ′＋δ′、(ΔG＋ΔW′）の分割＝α＋β＋γ′＋δ′、そのうち（α＋γ′）は再生産に投入され、(β＋δ′）は消費される。搾取・収奪者の〝倹約〟により少量になれば、(α

$+\gamma')$ はその分だけ増加する。

階級関係の再生産

蓄積過程は生産物の再生産や貨幣の蓄積ばかりではない。資本主義的蓄積過程では、資本—賃労働関係の再生産や拡大でもあり、前資本主義的蓄積過程では、領主—農奴関係、地主—小作関係、奴隷主—奴隷関係の再生産や拡大でもある。資本主義・前資本主義複合の蓄積過程では、資本家・領主・地主・奴隷主間の搾取・収奪者同士の対立とともに搾取・収奪者同盟と、一方の労働者・農奴・小作・奴隷の被搾取・被収奪者同士の対立とともに被支配者同盟が再生産され拡大していく。

本源的蓄積

二重の意味で自由な労働者の創生とは異なる労働者の創生として、「有償解放」を選択しない農民の労働者化、集団的労働手段の運用にともなう必要量にみあう農民の転用、前資本主義的支配層の一定部分の労働者化、集団的労働手段の運転の現場で働く外国人技師や外国人労働者の輸入などがあろう。

「資本家」の創生について、自発自展的創生—西ヨーロッパが典型例を提供している、自社会から自己の力による「自然史」的な過程をへての創生。国家による他発自展的創生—国家政策にもとづく国家資金や前資本主義勢力の資金による他国の集団的労働手段などと技師、労働者らの輸入による産業化にともない発生する「資本家」。他発他展的創生—先進資本主義による植民地・半植民地化。土着民にとっては外来の押しかけ資本家であり、そのもとで養育された一部の前資本主義勢力の買弁資本家化。私人による他発自展的創生—前資本主義勢力が先進資本主義国から私的な貿易により先進的労働手段や技術者・労働者などを輸入し資本主義経営を移植することにより半資本家化する。

資本主義的蓄積の歴史的傾向

資本主義的蓄積の歴史的傾向と複合化した資本主義・前資本主義的蓄積の歴史的傾向とが並存し始め、両者は分岐する。前者は先進国革命の必然性を現し、『資本論』が証明した社会主義社会への標準的な道であるのに対し、後者は資本主義的経済が未発達な途上国での最終的に社会主義社会にいたる多様な道の可能性を与える。

先進国での革命について『資本論』は、先進的な資本主義社会の社会主義社会への移行の必然性を次のように展望した。

「少数の資本家による多数の資本家の収奪と相ならんで、ますます増大する規模での労働過程の協業的形態、科学の意識的な技術的応用、土地の計画的利用、共同的にのみ使用されうる労働手段への労働手段の転化、結合された社会的労働の生産手段としてのその使用によるすべての生産手段の節約、世界市場の網のなかへのすべての国民の編入、したがってまた資本主義体制の国際的性格が、発展する。この転化過程のいっさいの利益を横奪し独占する大資本家の数が絶えず減少していくにつれて、貧困、抑圧、隷属、堕落、搾取の総量は増大するが、しかしまた、絶えず膨張するところの、資本主義的生産過程そのものの機構によって訓練され結合され組織される労働者階級の反抗もまた増大する。資本独占は、それとともにまたそれのもとで開花したこの生産様式の桎梏となる。生産手段の集中と労働の社会化とは、それらの資本主義的な外被とは調和しえなくなる一点に到達する。この外被は粉砕される。資本主義的所有の弔鐘が鳴る。収奪者が収奪される。」（第四分冊、P1305 ～ 1306）

経済的には、主に集団的労働手段による近代的産業が主要な形態になっていて、それとともに発達した運輸・通信が広範にとどいていき、度重なる恐慌を含む産業循環により多数の小資本が少数の大資本に吸収され、資本主義的収奪者がますます減少する。

一方、少数の大資本家あるいはブルジョア党派とたたかう運動の主体は、国民のうちの多数を占めていく近代的労働者階級であり、国民として各種学校で高度な教育と知識、情操と個性を身につけていく。また労働者として組織され訓練されるなか、労働者階級のなかから労働組合が結成される。さらに、労働者政党が組織され、地方議会のみならず国政全般を左右する議会にも進出し多数派を構成するようになる。収奪者の党派は下野し、被収奪者の党派が政権を担い運営する。両者の政権担当と下野が繰り返されるが被収奪者の党派による政権が長期・安定化するようになる。資本主義的経営は国民的利益を最優先にする民主的規制の下におかれ、やがて、つぎつぎと社会化され、社会全体の利益のために多くの国民参加により民主的に経営・管理されるようになる。

自律的な途上国では、領域内に広がる前資本主義経済のなかに点々と国家の意志と選択で導入された先進的諸産業が築かれていく。建設資金として当初は借款や前資本主義的収奪による蓄積に頼らざるをえない。必要な労働力も前資本主義経済から捻出しなければならない。最初は〝点と線〟にすぎない状態からやがてそれは拡大をつづけ、産業地帯とそれをつなぐ鉄道網、道路や水路網、通信網が発展する。従属国やとりわけ植民地では覇権国が前資本主義経済と並行して、一部は現地支配者も加わり覇権国の計画にそって諸産業を移植し稼働していく。労働力は他地域からの輸入を含め確保していく。

前者では、前資本主義と資本主義の複合的な経済的社会構成体がつくられ他国との対立とともに、前資本主義と資本主義の矛盾、前資本主義内の矛盾、資本主義内の矛盾のそれぞれが一方では緩和され解消に向かい、他方では激化し解決不能な局面にいたる。登場人物に着目すれば、この構成体のなかで、資本家勢力と前資本主義勢力および両者の同盟あるいはその党派と、近代的労働者階級と前資本主義に収奪されている農民および両者の同盟あるいはその党派が一方で合従連衡を繰り返し穏便な解決に向かうか、他方では避けることができない激突地点に直面し複合的構成は変革され前人未踏の挑戦がはじまる。

資本主義的経済が未発達な途上国での社会主義社会にいたる過程は、前資本主義と資本主義の複合化の内実―原始共同体、奴隷制、封建制、低位の資本主義、その複数との複合化と、両者の発展諸段階に様々な相違があることから、独自性に満ちた多数の組み合わせがあり極めて多様にならざるをえない。先進資本主義国との交易をみずから遮断することなく、また相手からの遮断を防ぎ、交易をつづけ、集団的労働手段をはじめ、科学・技術的、経済的、政治的、社会的等の肯定的諸成果を―先進資本主義国がそれらを手に入れるために費やした長期の過程を経ず―獲得できるならば、〝後進の利益〟を活かしきるならば、社会主義社会への移行の可能性を現実化できるだろう。

注）レーニンは1923年「わが革命について」（レーニン全集33巻、P496～499、大月書店、1970年）で次のような認識を示した。

彼ら（第二インターナショナルの「英雄」たち―引用者）はみな、マルクス主義者と自称しているが、しかし、マルクス主義を信じられないほど衒学的に理解している。彼らは、マルクス主義における決定的なもの、つまり、その革命的弁証法をまったく理解しなかった。革命の時期には最大限の柔軟性が要求される、というマルクスの直截な教えすら彼らは絶対に理解していない。…

第1に、第一次帝国主義世界戦争と結びついた革命。このような革命では、新しい特徴、あるいはほかならぬ戦争のせいで変化した特徴が現れなければならなかった。なぜなら、世界にはこのような情勢のもとで、このような戦争はまだけっしてなかったからである。…第2に、世界史全体の発展が一般的な法則にしたがうということが、発展の独自の形態なり、順序なりをあらわす個々の発展の時期をすこしも除外するものではなく、逆に、そういうことを前提としているという考えは、彼らにはまったく縁もゆかりもない。たとえば、ロシアは、文明国と、この戦争によって決定的に文明に引きいれられた全東洋諸国、非ヨーロッパ諸国との境にたっており、そのために若干の独自性をあらわすことができ、またあらわさなければならなかったが、これらの独自性はもちろん世界の発展の一般的方向にそってはいるが、ロシア革命を西ヨーロッパ諸国のこれまでのすべての革命と区別しており、東洋諸国へ革命がうつるにあたっていくつかの部分的な新しいものを持ちこむという考えは、彼らの頭にうかびさえしないのである。…

社会主義を建設するために、一定の文化水準（とはいえ、この一定の「文化水準」がどんなものであるかは、だれもいえない、なぜなら、それは西ヨーロッパ諸国の一つ一つでちがっているから）が必要ならば、なぜ、この一定の水準の前提を、まず革命的方法で獲得することからはじめ、<u>そのあとで</u>労農権力とソヴェト制度をもとにして、他の国民においつくために前進してはいけないのであろうか。（下線は原文では傍点）

レーニンは、これに先立ち、1920年のコミンテルン第二回大会の民族・植民地問題小委員会報告で「共産主義インターナショナルは、先進国のプロレタリアートの援助をえて、後進国はソビエト制度へうつり、資本主義的発展を飛び越えて、一定の発展段階を経て共産主義へうつることができるという命題を確立し、理論的に基礎づけなければならない」（レーニン全集31巻、P237、大月書店、1970年）と呼びかけていた。

［Ⅲ］「史的唯物論の定式」の検討

1、歴史理論

①「定式」と『資本論』

マルクスは1859年の『経済学批判』の序言で「私の研究にとって導きの糸として役立った一般的結論は簡単に次のように定式化できる」として、いわゆる「史的唯物論の定式」を提示する。原始共同体から出発して、奴隷制、封建制、資本主義を経て、社会主義・共産主義にいたる歴史の発展段階論への疑問などから、〝原点に戻れ〟とばかりにより一般的で抽象的な唯物論的な歴史観―たとえば、初期マルクスの歴史観―に立ち返るのは正しくなかろう。理論と観測事実との誤差から出発し、理論を発展させる自然科学発展の論理をみても明白であろう。「理論」と「事実」との誤差は、むしろその理論の成立妥当領域の解明や、新しい理論への発展への刺激になりうるのである。

「定式」の発展段階論にたいする両極端な見解が存在する。原始共同体から社会主義・共産主義への五段階を、「あらゆる民族がすすんできた」（林直道著『フランス語版資本論の研究』、P 85、大月書店、1975年）、「世界中どこでも経過し発展しつつある」（労働者教育協会『科学的社会主義の基礎理論』、P 77、学習の友社、1990年）という、「定式」擁護にたいして、「社会発展の諸時期について固定的教条的に考えてはならない」（浜林正夫著『古典から学ぶ・史的唯物論』、P 159、1988年、学習の友社）という。そして折衷案として類型論を主張する人たちがいる。もちろん、ソ連・東欧の崩壊から、「人間の本性」からして、もともと社会主義・共産主義は不可能だと資本主義の永遠性を主張する論者が後を絶たないのもいうまでもない。

「定式」を本書の冒頭［Ⅰ］で①～⑥に分けておいた。

① 人間は、彼らの生活の社会的な生産において、一定の、必然的な、かれらの意思から独立した諸関係に入り込む、すなわち、彼らの物質的生産諸力の一定の発展段階に対応する生産諸関係に入り込む。この生産諸関係の総体は、社会の経済的構造を形成する。これが現実の土台であり、その上に一つの法的かつ政治的上部構造がそびえ立ち、その土台に一定の社会的意識諸形態が対応する。物質的生活の生産様式が、社会的、政治的、および精神的生活過程全般を制約する。人間の意識がその存在を規定するのではなく、逆に、人間の社会的存在がその意識を規定する。

② 社会の物質的生産諸力は、その発展のある段階で、それまでそれらがその内部で運動してきた既存の生産諸関係と、あるいはその法律的表現にすぎない所有諸関係と、矛盾するようになる。これらの諸関係は、生産諸力の発展の諸形態からその桎梏に一変する。そのときに社会革命の時期が始まる。経済的基礎が変化するにつれて、巨大な上部構造の全体が、徐々にせよ急激にせよ、くつがえる。

③ このような諸変革を考察するにあたっては、経済的な生産諸条件に起きた自然科学的な正確さで確認できる物質的な変革と、人間がこの衝突を意識するようになりこれとたたかって決着をつける場となる、法律、政治、宗教、芸術、または哲学の諸形態、簡単にいえばイデオロギー諸形態とをつねに区別しなければならない。

④ ある個人がなんであるかを判断する場合に、その個人が自分をうぬ

ぼれ描く評価には頼れないのと同様に、このような変革の時期を、その時期の意識をもとに判断することはできないのであって、むしろこの意識を、物質的生活の諸矛盾から、すなわち社会的生産諸力と生産諸関係とのあいだに存在する衝突から、説明しなければならない。

⑤ 一つの社会構成体は、すべての生産諸力がそのなかではもう発展の余地がないほどに発展しきらないうちは、けっして没落することはなく、また、新しいさらに高度の生産諸関係は、その物質的な存在諸条件が古い社会の胎内で孵化しきらないうちは、けっして古いものに取って代わることはない。それだから、人間はつねに、みずからが解決できる課題だけをみずからに提起する。というのは、やや立ち入ってみるとつねにわかることだが、課題そのものが生まれるのは、その解決の物質的諸条件がすでに存在しているか、または少なくともそれら生じつつあることが把握される場合だけだからである。

⑥ 大づかみに言って、アジア的、古代的、封建的、および近代ブルジョア的生産様式が経済的社会構成体の進歩してゆく諸時期として特徴づけられよう。ブルジョア的生産諸関係は、社会的生産過程の最後の敵対的形態である。敵対的というのは、個人的敵対という意味ではなく、諸個人の社会的生活諸条件から生じてくる敵対という意味である。しかしブルジョア社会の胎内で発展しつつある生産諸力は、同時にこの敵対を解決するための物質的諸条件をもつくりだす。それゆえ、この社会構成体をもって、人類社会の前史はおわりをつげる。

第１に、マルクスはこの「定式」をもって歴史的事実を裁断したのではなく、彼自身がのべるように「研究にとって導きの糸」として役立てた。「定式」は一定の歴史研究から抽出されはしたものの、マルクスは、『資本論』で「定式」を、資本主義社会等の詳細な研究によって証明しなければならなかった。

注)「いまでは―『資本論』が出現してからは―唯物史観はもう仮説ではなくて、科学的に証明ずみの命題である。そして、なんらかの社会構成体の機能と発展―まさに社会構成体のそれであって、なんらかの国あるいは国民、あるいはさらには階級、等々の生活様式のそれではない―を科学的に説明する、他の試みがなされないあいだは―すなわち、唯物論がなしとげたとまったく同じような『関係諸事実』を秩序だてることができ、それとまったく同じように、一定の構成体を厳密に科学的に説明しながら、それの生きた描写をあたえることができるような、他の試みがなされないあいだは―そのときまでは、唯物史観は社会科学と同義語であろう」(レーニン、国民文庫『「人民の友」とはなにか』、P18、大月書店、1969年)。下山三郎氏は『明治維新研究史論』(お茶の水書房、1966年)のP 354(注)49で、レーニンの言葉の意味を詳しく解説している。

第2に、マルクスの研究方法は科学的であるが、研究にとって偶然的と見なしうるものは捨象せざるをえない。『資本論』の研究課題は資本主義社会の運動法則の解明であり、主な対象は資本主義経済を他国に先がけ、いち早く確立した典型国、しかも自由主義段階のイギリスであった。さらに、国内に残されていた前資本主義的経済を捨象し、資本主義的経済が全産業部門をとらえているとして理論を展開している。

注)「理論においては、資本主義的生産様式の諸法則が純粋に展開されるということが前提される。現実には、つねに近似のみが存在する。しかし、この近似は、資本主義的生産様式が発展すればするほど、そして以前の経済諸状態の残存物による資本主義的生産様式の不純化と混和とがのぞかれればのぞかれるほど、ますます大きくなる。」(『資本論』第9分冊、P300、新日本出版社、1994年)。

これを引用して宇野弘蔵氏はいう。「帝国主義時代の展開は、旧社会的残滓による『不純化と混和』とを除去しないで、むしろ多かれ少なかれ利用しつつも資本主義の発展をみることになったのである。しかもそういう場合でさえなお旧社会的残滓は、資本主義的発展を阻止するかぎりは破壊されてきたのである」(『岩波講座　哲学』第一巻、1967年、「資本論と弁証法」)から、「旧社会的残滓」の自動消滅論にたつ『資本論』は「現状分析」には有効ではないとする。『資本論』の方法の限界性を打開するため、「旧社会的残滓」と、〝新社会的要素〟との結合による複合的構成体の運動が明らかにされねばならないのではないか。

第3に、『資本論』は、「全商業世界を一国」として、対外貿易を捨象し、あるいは対外貿易を内部的関係とみなしている。『資本論』は、「全商業世界」―イギリスを中核とする西ヨーロッパなどの資本主義諸国外の後進地域との貿易や、植民、征服などを考慮していない訳ではないが、その言及の仕方は、「全商業世界」の歴史にとって、周辺地域が発展のテコとして、あるいは危機の緩衝地帯としてどのような役割を果たしたかという点に重心がある。後進地域そのものの発展に「全商業世界」がどのような役割を果たしたかという、逆の視点はない。『資本論』は、先端的社会―西欧「わき口型」孤立社会の運動法則の解明に主目的がおかれている。

注）エンゲルス（また、マルクスも）はいう。「こんにちまでわれわれが経済科学によってえているものは、ほとんどもっぱら資本主義的生産様式の発生と発展とに限られている。…発展の遅れている国ぐにに資本主義的形態と並んでいまなお存在している諸形態をも、同様に、せめて大まかにでも研究し比較しなければならなかった」(秋間実訳『反デューリング論』上巻、P 212 ～ 213、新日本出版社、2001年)。

淡路憲治氏は、『マルクスの後進国革命像』（未来社、1971年）で、『資本論』第二部の〝全商業世界を一国とみなす〟という仮定を『資本論』全体の前提と考える（P20)。

マルクスは、『資本論』第1部の第25章で、自分の労働にもとづく個人的所有の、他人の労働にもとづく私的・ブルジョア的所有への転化を基礎にして、資本主義的生産が西欧封建制社会の崩壊の中から現れたこと、資本主義的生産は生産諸力の発展とともに資本が資本を滅ぼし独占化する一方、他方では労働者階級の量的増大と団結が発展すること、「収奪者が収奪され」、ブルジョアジーの没落とプロレタリアートの勝利とはともに避けることができないこと、私的・ブルジョア的所有は社会的・集団的所有にとってかわり、社会主義・共産主義社会へ移行するであろうことを結論づけている。これは、「あるものの運動は、その内から、そのものの否定者を生み出す」という歴史の自生的・連続的発展であって、しかも、フランス語版『資本論』ではマルクスは、『資本論』で描いた発展行程を「明示的に西欧に限定」しさえしたのである。高度な資本主義的生産をいち早く実現しつつあった先進西欧でのプロレタリア革命の先行を展望していた。『資本論』が「証明」したという「定式」もまた、先端的孤立社会の自生的・連続的発展（自発・自展的発展）の理論であった。

後進地域の植民地化と従属化や、資本の輸出による不均等発展などを特徴とする帝国主義の時代の到来とともに、『資本論』の展望は大きくはずれていく。しかし、マルクスは、そのことも予感しながら、達成した研究成果をもって新たな課題にむかっていた。それがマルクス晩年のロシア社会論である。

② マルクス、エンゲルスのロシア社会論

マルクスらのロシア社会論は、ロシアにおける『資本論』あるいは「定式」の有効性の検討をとおして、歴史の発展過程全般に対する有効性を検討する。マルクスは、ロシアの共同体が、ロシア再生の拠点となりうるには「一つのロシア革命」が必要であるとしていた。ロシア社

会の構造論とともに革命の諸条件をどこに見出していたか、マルクスとエンゲルスの歴史認識も考察する。

マルクスのロシア社会論は、「ロシアのオプシチナは直接に、共産主義的共有のより高次の形態に移行できるであろうか？　それとも反対に、この共同体は、そのまえに、西欧の歴史的発展をなしているのと同じ解体過程を経なければならないのであろうか？」という問題提起に発している。

注）『共産党宣言』ロシア語版序文。1882年の日付で、マルクスとエンゲルス両者によって署名されている。

ロシアは、当時、1861年の農奴解放後、漸進的に資本主義化が進行しており、この資本主義化と共同体の運命をめぐり執拗に論争がつづけられていた。70年代のナロードニキは「二つの道の可能性」論をとっていた（田中真晴著『ロシア経済思想史の研究』、P4、ミネルヴァ書房、1967年）。80年代にはいると、「二つの道の可能性」論は、ロシア資本主義没落論と発展論に分かれていく。

マルクスは、ミハイロフスキーとジュコフスキーの論争で、ミハイロフスキーの論文を読んで、『祖国雑記』編集部あての手紙（1878年）を書き、また、ロシアの「オプシチナのありうべき運命に関して、その世界中のすべての国々が資本主義的生産の全局面を通過するという歴史的必然性の理論に関して」意見を述べてほしいというベェラ・ザスーリチからの手紙（1881年）への返答として書かれた草稿と返書とを書いた。

(1) ロシア社会の構造論

①マルクス；1879年4月10日付ダニエリソーンあて手紙（大月書店版『マルクス・エンゲルス全集』第34巻、P296、以下『全集』

と略し文頭ページを記す）

マルクスは、手紙の中で資本主義の発展にとって鉄道のもつ意義を簡潔にのべる。

「鉄道は、最初は近代工業がもっとも発達していた諸国で『事業の頂点』として発生しました」。「他方では、主導的な資本主義諸国における鉄道網の出現は、資本主義がまだ社会のわずかばかりの点に局限されていた諸国が今や最短期間でその資本主義的上部構造をつくり出して、それを、生産の主要部分を伝統的な諸形態で営んでいる主要な社会的部分とは不釣り合いな大きさにまで拡大した、ということを、ただ可能にしただけでなく、必然性をもって強制さえもしました」。

さらにより重要な指摘をしている。

「もちろん、一般的には鉄道は対外貿易の発展に強力な刺激を与えましたが、この貿易は、主として原料生産物を輸出している諸国では、大衆の貧困を一層強めました。鉄道のために政府が契約した新たな債務は、大衆を圧迫する租税負担を増大させましたが、それだけでなく以前は多くの場合売れなかったために廉価だった多くの商品が、高価になって人民の消費から取り上げられました。他方では、生産そのものがその輸出適性の大小に応じて変えてこられました。すべてこのような変化は、大地主や高利貸や商人や鉄道や銀行業者などにとっては実際に非常に有利だったのですが、現実の生産者たちにとっては非常に悲しむべきことだったのです！」。

つまり、後進国において鉄道は、一方において「資本主義的上部構造」を「最短期間」で繁茂させ、他方では「鉄道のための債務」が租税負担を増大させ、大衆を圧迫するとともに、生産そのものを「輸出適性の大小に応じて」変えること強要する。マルクスは、資本主義の発達が自動的に伝統的な生産形態を衰微させるという見地にたっていない。

また、引用の最後の部分は、経済構造や政治戦線における地主とブルジョアジーの同盟を考察するうえで示唆に富んでいる。

注）和田春樹氏は、マルクスからの引用につづいて、「ここには後進資本主義の特殊な構造の把握の萌芽がある」として、注（4）で、「マルクスのこの主張は、私にとって、ロシア資本主義の構造的把握のための導きの糸であった」ともの べていた。（『マルクス・エンゲルスと革命ロシア』P157 ～ 158、勁草書房、1975 年、以下『革命』と略す。）

②マルクス；1881 年 2 月 16 日付ザスーリチあて手紙の第 2 草稿（『全集』第 19 巻、P386）

この草稿は、革命論なども論じているが、構造論にふれている部分は、「ロシアの共同体の生活をおびやかしているもの、それは、歴史的宿命性でもなければ、理論でもない。それは国家による抑圧であり、また、この同じ国家が農民の負担と失費において強大にしてきた資本主義的侵入者による搾取である」。

ロシア資本主義が農民の犠牲によって強化されたとして、後発資本主義の独特な社会構造をとらえだしたようにみえる。

③エンゲルス；1885 年 4 月 23 日付ザスーリチあて手紙（『全集』第 36 巻、P272）

「情勢がこれほど緊迫し、もろもろの革命的要素がこれほどにつみかさなっており、巨大な人民大衆の経済状態が日に日に考えられないものとなり、原始共同体から近代的大工業と金融巨頭にいたるまでの社会発展のあらゆる段階が代表されており、これらすべての矛盾がたぐいない専制主義によってむりやりまとめられているようなところにおいて―そのようなところでひとたび 1789 年が始まるならば、

1793年は待つまでもないでありましょう」。

第一に、ロシアにおいて「社会発展のあらゆる段階が代表されている」と指摘するが、それらの起源や相互の関係については明確でなく、ただ、「すべての矛盾」が専制主義によって、「むりやりまとめられている」と語るだけである。第二に、フランス革命史になぞって、「1789年が始まれば、1793年は待つまでもない」という歴史認識は、時代こそ違え、ザスーリッチがいう「世界中のすべての国々が資本主義的生産の全局面を通過するという歴史的必然の理論」と類似している。引用部分は「歴史的必然の理論」と、「社会発展のあらゆる段階」と「すべての矛盾」が専制主義によって「まとめられている」という、その「理論」では説明しきれない特異な構造の出現という二つが混じり合っている。

(2) 共同体の非資本主義的発展の諸条件

①エンゲルス;1875年『ロシアの社会状態』(『全集』第18巻、P551)

ロシア共同体の非資本主義的発展の条件として、西欧におけるプロレタリアートの勝利と、勝利した革命による物質的援助をあげている。

②マルクス;1881年ザスーリチあて手紙の草稿(『全集』第19巻、P386)

条件(1)先進西欧との同時並存と肯定的諸成果の獲得

「ロシアは、共同体的所有が広汎な規模で維持されている、ヨーロッパで唯一の国である。しかし、それと同時に、ロシアは、近代の歴史的環境のうちに存在し、より高次な文化と同時的に存在しており、資本主義的生産の支配している世界市場に結びつけられている。それ故に、この生産様式の肯定的な諸成果をわがものとすることによって、ロシアは、その農村共同体のいまなお原古的な形態を破壊するのではなくて、それを発展させ、転化させることができる」。

注）淡路憲治氏はこの一文を紹介した後、草稿におけるマルクスの分析の特徴は、農村共同体の現状と将来について「共同体それ自身のみを孤立したかたちで問題にするのではなく、西欧資本主義との同時並存関係のもとにあるものとしてとらえる分析視角が一貫してつらぬかれている」（『マルクスの後進国革命像』、P 278、未来社、1971 年）とした。

条件（2）西欧資本主義の危機

「現在、資本主義制度は西ヨーロッパにおいても合衆国においても、労働者大衆とも科学とも、またこの制度自身の生み出した生産力そのものとも闘争状態にある、一言でいえば、それが危機のうちにある」。そして、この危機は、「資本主義制度の消滅によって終結し、また、近代社会が集団的な所有および生産の『原古的な』型のより高次な形態へと復帰することによって終結するであろう」。

条件（3） 農村共同体を救う革命

「ロシアの共同体の生活をおびやかしているもの、それは歴史的宿命性でもなければ、理論でもない。それは国家による抑圧であり、また、この同じ国家が農民の負担と失費において強大にしてきた資本主義的侵入者による搾取」であり、大地主、高利貸、商人などの「資本主義的寄生虫」からの共同体の破壊から「共同体を救うには、一つのロシア革命が必要である」。もしも、「農村共同体に自由な飛躍」を保障するならば、「農村共同体は、まもなく、ロシア社会を再生させる要素として、資本主義制度によって隷属させられている諸国に優越する要素として、発展するであろう」。

注）和田氏は、「西欧プロレタリア革命についての言及は一切ない。明らかに認識は（1875 年当時と比べると—引用者）ロシア革命の自ら

救う力を尊重する方向に、逆転している」。またこれは、「ロシア一国革命のイメージを提供している」(『革命』、P179)という。ともあれ、マルクスの言明は、「後進性の逆説」と呼ばれる問題を含んでいる。

③マルクス;1881年3月8日付ザスーリチあて手紙本文(『全集』第19巻、P238)

ロシアの農村共同体は、「ロシアにおける社会的再生の拠点」であり、それがそのようなものとして機能するためには、条件(1)「あらゆる側面からこの共同体におそいかかっている有害な諸影響を除去すること」。条件(2)「自然的な発展の正常な諸条件をこの共同体に確保すること」としている。

④マルクス・エンゲルス;1882年1月21日付『宣言』ロシア語第二版序文(『全集』第19巻、P288)

「『共産党宣言』の課題は、近代のブルジョア的所有の解体が不可避的にせまっていることを宣言することにあった。ところが、ロシアでは、資本主義的ないかさまが急速に開花し、ブルジョア的土地所有がまさに発展しかけているその反面で、土地の大半が農民の共有になっていることがみられる。そこで次のような問題が生じる。ひどくくずれてはいても、太古からの土地共有の形態であるロシアのオプシチナは、直接に、共産主義的共有のより高次の形態に移行できるであろうか? それとも反対に、この共同体は、そのまえに、西欧の歴史的発展を成しているのと同じ解体過程を経なければならないのであろうか? この問題に対する、今日可能なただ一つの答えは、次のとおりである。すなわち、もしロシア革命が西欧のプロレタリア革命の合図となり、両者がたがいに補い合うならば、現在のロシアの土地共有は共産主義的発展の出発点として役立つことができる、ということである」。

第一に『宣言』のドイツ革命について、「ドイツは、17 世紀のイギリスと 18 世紀のフランスに比べて、ヨーロッパ文明一般のより進んだ諸条件のもとで、かつはるかにより発達したプロレタリアートをもって革命を遂行するからであり、したがってドイツのブルジョア革命はプロレタリア革命の直接の序曲となりうる」という。この革命論とも異なり特異である。第二、ロシア社会の構造について、「資本主義的いかさま」と「土地共有」とが並置されて両者の関連について分析がない。第三、ロシアの共同体にとっての非資本主義的発展についての問題提起はきわめて重要である。第四、ロシアの共同体の非資本主義的発展の条件 ⑴ は先行したロシア革命が西欧のプロレタリア革命の合図になり、条件 ⑵ 両者がたがいに補い合うこと、すなわちマルクスのザスーリチあて手紙草稿から、ロシアからすれば、これは西欧資本主義の「肯定的な諸成果」の獲得のことであろう。

⑤エンゲルス；1893 年 2 月 24 日付ダニエリソーンあて手紙（『全集』第 39 巻、P33）

「1854 年ごろに、ロシアは一方では（土地の―引用者）共有をもって、他方では大工業の必然性をもって、出発しました。そこで一方では大工業の発展を可能にし、他方では原始的な共有をこれまで世界に存在していたいっさいのものにまさる社会制度という地位にまで引き上げるであろう、という形で、大工業をこの農民共同体に接ぎ木することの可能性を見ておられるのでしょうか？」「もし西欧にいるわれわれがわれわれ自身の経済的発展においてもっと速く進んでいたならば、もしわれわれが資本主義体制を 10 年か 20 年前に転覆することができていたならば、その場合には、あるいはロシアはまだ、資本主義へのそれ自身の発展の傾向を回避するだけの時間的余裕があったかもしれません。最も世紀末的な危機がやってくるにちがいありません。しかし、そうこうしているうちにお国の共同体は衰亡していきます」「しかも、西ヨーロッパ全体がまだ資本主義制度のもとで生活しているのに、その可能性を認められるでしょうか？ 疑いもなく、共同体は ある種の諸条件のもとでは発展することができたかもしれず、また資本主義体制の苦しみを経験する必要をロシアにまぬがれさせたかもしれない萌芽を含んでいました。しかし彼（マルクス—引用者）の見解でも私の見解でも、そのための第一条件は外からの衝撃、西ヨーロッパにおける経済体制の転覆、資本主義が最初に生まれた諸国における資本主義の破壊です。（マルクスとエンゲルスは1882年の『宣言』ロシア語第2版序文で—引用者）次のようにいいました。もしロシアにおける経済体制の変革が西欧における経済体制の変革と同時に起きて両者がたがいに補い合うならば、現在のロシアの土地所有は新たな社会的発展の出発点になることができる」。

オプシチナ（農村共同体）が資本主義の段階を経ず直接に共産主義的な高次の共同体に飛躍するためには、条件⑴「外からの衝撃」—西欧諸国における「資本主義の破壊」が「第一の条件」とされている。同時に、条件⑵ロシアと西欧における経済体制の変革が「同時に起きて両者がたがいに補い合うならば」とも書いているが、エンゲルスの認識は明らかに82年の序文当時のロシア革命先行から西欧のプロレタリア革命先行に傾いている、といえる。

⑥エンゲルス；1894年『ロシアの社会状態』の「あとがき」（『全集』第22巻、P419）

「ロシアにすでに存在している、というよりはいまなお存続している共有は、これからやっとつくりあげられるべき西欧のこの共有とどのような関係にあるか？　ロシアにおけるこの共有は、一つの国民的な行動、すなわちロシアの農民共産主義を資本主義時代のいっさいの技術的成果で豊かにすることによって、この農民共産主義をば資本主義の時期全体をとびこえて、すべての生産手段の近代的な社会主義的共有に直ちに導く国民的な行動の出発点として役立つことはできないだろうか？」と問うて、「ロシアの共同体は数百年にわたって存続してきたが、そのなかからは、いまだかつて、それ自身を共有のより高次の形態に発展させる推進力は生まれたことがなかったのであって、この点は、原始共産主義的制度をもつドイツのマルク制度、ケルトの民族、インドその他の共同体の場合と同じである。だから、ロシアの共同体がこれらの共同体とは違ったもっとよい運命をもつかどうかということがおよそ問題になりうるとしても、それはロシアの共同体自体のせいではなく、もっぱら次の事情のせいである。すなわち、西ヨーロッパでは商品生産一般だけでなく、その最高にして最後の形態である資本主義的生産までがそれ自身のつくりだした生産諸力との矛盾におちいってしまった時期、この諸力をそれ以上管理していくことができないことをみずから証明している時期、そうしてこうした内的矛盾と、それに照応する階級衝突のために滅亡する時期―このような時期にまで、この共同体が西ヨーロッパの一国において比較的に生命力をもって保持されてきたという事情のせいなのである」という。

ロシアの共同体が共有のより高次の形態へ飛躍しうるには、条件⑴共同体を「資本主義時代のいっさいの技術的成果で豊かに」しなければならないこと、条件⑵西欧資本主義が危機的段階にあること、条件⑶このような時期にまで、「比較的に生命力をもって保持」されていたロシア共同体が、条件⑷西欧資本主義と同時並存していることである。

しかも、ロシアの共同体もふくめ、どの共同体もその内部から「いまだかつて、それ自身を、共有のより高次の形態に発展させる推進力は生まれたことがなかった」のであるから、この「推進力」をどこに求むべきか。ザスーリチあて手紙の草稿でマルクスは、共同体を救うロシア社会内部の力に期待をよせていた。94年のエンゲルスは、次のようにいう。

「ロシアの共同体をひょっとしたらこの（高次の共有―引用者）ように改造するかもしれない主導力は、この共同体からはけっして生じることはできず、ただひとつ西欧の工業プロレタリアートからのみ生じるということである。西ヨーロッパのプロレタリアートのブルジョアジーに対する勝利、その勝利と結びついている、資本主義の、社会主義的に管理された生産による置きかえ―これこそ、ロシアの共同体が（西ヨーロッパと―引用者）同じ段階に高められるのに必要な前提条件なのである」。

ロシアの共同体を社会主義的に改造する「主導力」は共同体からも共同体の外のロシア社会からも生まれず、条件⑸「ただひとつ西欧のプロレタリアートのブルジョアジーに対する勝利からのみ」生じる、という。「あとがき」は条件⑴から⑸をもう一度くりかえし、「ところで忘れてならないこと」として、「この国の資本主義的工業国への転化、大量の農民のプロレタリア化、古い共産主義的共同体の崩壊は、ますます急テンポですすんでいる」とのべ、「この共同体のなかに1882年にマルクスと私が希望していたように、場合によっては西ヨーロッパの急変と歩調を一にして共産主義的発展の出発点となりうるものだけのものがまだ保存されているかどうか、これに答える資格が私にあるとは思わない」とことわりながらも、「だが、ほんのわずかでもこの共同体の残り物を保存したいのであれば、そのための第一条件は、ツァーリ専制主義の打倒、ロシアにおける革命であることだけは確かである」として条件⑹「ツァーリ専制主義の打倒、ロシアにおける革命」をあげている。ロシアの共同体の高次の共有への飛躍にとって、西欧でのプロレタリア革命は「前提条件」だという。しかし、エンゲルスによると、西欧に先行するロシア革命だけでは共同体の飛躍を保障する物質的諸条件をもたらさない、西欧のプロレタリア革命なくして、資本主義の「技術的成果」をロシアの共同体に確保することはできないとみている。「資本主義社会自身がまだ、この革命を成就していないまえに、どうしてロシアの共同体が、資本主義社会の巨大な生産諸力を社会的所有および社会的用具としてわがものにすることができるだろうか？」。

すでにみたように、マルクスはザスーリチあて手紙の草稿で、西欧のプロレタリア革命に言及することなしに、西欧のプロレタリア革命に依存したロシアの共同体の飛躍ではなく「一つのロシア革命」と西欧資本主義の「肯定的な諸成果」の獲得をあげていた。

2、マルクスの歴史発展観

①マルクスの歴史発展観

①マルクス;1878年『祖国雑記』編集部あて手紙（大月書店版『マルクス・エンゲルス全集』第19巻、P114。以後、『全集』と略す）

マルクスは手紙のなかでチェルヌイシェフスキーの共同体論、ミハイロフスキーの歴史認識に論評をくわえる。

チェルヌイシェフスキーは、「その注目すべき諸論文において、次のような問題を論じています。すなわち、ロシアは、その自由主義的経済学者がのぞんでいるように、農民共同体を破壊することから始めて、その後に資本主義制度に移行しなければならないのか、それとも逆に、ロシアはこの資本主義制度の苦しみをあじわうことなしに、自己の固有な歴史的に与えられた諸前提をさらに発展させていくことによって、資本主義制度の全成果をわがものとすることができるのか、と。彼は、後者の解決方向に賛意を表明しています」とし、「ロシア語を学び、その後長年にわたって、この問題に関係のある政府刊行物、他の刊行物を研究」した結論として、「もしもロシアが1861年（農奴解放—引用者）以来歩んできた道を今後も歩みつづけるならば、ロシアは歴史が一国民に提供した最良の機会を失ってしまい、資本主義制度の有為転変のすべてにさらされされることになるであろう」と、ロシアの非資本主義的発展がありうることを明言している。

ミハイロフスキーについて、マルクスは、「自らの祖国のために西ヨーロッパがたどりいまもたどっている発展の道とは異なった発展の道を発見せんとするロシア人たちの試み」に対し、『資本論』はその解明の「鍵を提供するものではありません」とたしなめる。『資本論』の「本源的蓄積に関する章は、西ヨーロッパにおいて、資本主義的経済秩序が封建的経済秩序の胎内から生まれでてきたその道をあとづけようとだけするものです。…『しかし、この発展全体の基礎は、耕作者の収奪である。これが根底的に遂行されたのは、まだイギリスにおいてだけである。…だが西ヨーロッパのすべての国もこれと同一の運動を経過しつつある』(『資本論』フランス語版―引用者)」とする。また、資本主義的生産の歴史的傾向については、「この生産は、『自然過程の必然性をもって、おのれ自身の否定を生み出す』。この生産は、同時に社会的労働の生産諸力とすべての個人的生産者の全面的発展とに最大の飛躍をもたらすことによって、新たな経済秩序の諸要素をみずからつくりだした。また、資本主義的所有は、事実上すでに集団的生産の方法の上に立脚しているので、社会的な所有に転化するほかない、というのがそれです」と書く。そして第一に、「もしロシアが西ヨーロッパ諸国民にならって資本主義的国民になることをめざすならば…ロシアは、あらかじめその農民の大部分をプロレタリアに転化してしまうことなしには、それに成功しないだろう」、さらに第二に、「資本主義のうずのなかにひとたび引きこまれるやいなや、他の世俗的諸国民とまったく同様に資本主義制度の無慈悲な諸法則に耐えなければならなくなるであろう」という。しかし、ミハイロフスキーにとっては、「西ヨーロッパの資本主義の生成にかんする私（マルクス―引用者）の歴史的素描を、社会的労働の生産諸力の最大の飛躍によって人間の最も全面的な発展を確保するような経済的構成体（社会主義・共産主義―引用者）に最後に到達するために、あらゆる民族が、いかなる歴史的状況のもとにおかれていようとも、(資本主義制度を―引用者）宿命的に通らなければならない普遍的発展過程の歴史哲学理論に転化すること」が、絶対に必要なのだ、と。そのようなことはマルクスにとって、「あまりにも大きな名誉」であると同時に、「あまりにも大きな恥辱」だ、という。マルクスは、古代ローマの平民をおそった運命について言及して、「いちじるしく類似した出来事でも、異なる歴史的環境のなかで起こるならば、まったく異なる結果を導き出すのです。これらの発展のおのおのを個別に研究し、しかるのちに、それらを相互に比較するならば、人はこの現象を解く鍵を容易に発見するでありましょう」、しかし、「超歴史的であることが、その最高の長所であるような普遍的な歴史哲学理論という万能の合鍵」をもってしては、決してそこに到達できないのだ、といって手紙を結んでいる。

注）「唯物史観も今日では歴史を学ばない口実にそれを役立てるような連中をたくさんもっています。マルクスは70年代のフランスのマルクス主義者（下線は原文では傍点）たちについて『自分が知っているすべては、自分がマルクス主義者でないということである』と言いましたが、まったくそのとおりです」（エンゲルス、1890年8月5日コンラート・シュミットあて手紙。『全集』第37巻、P376）。エンゲルスは、歴史を学ぶことなく、唯物史観を「ヘーゲル主義者流の構成のてこ」に用いることを批判し、それはあくまでも「研究の導きの糸」であることを強調している。

このように、「定式」や『資本論』は「普遍的発展過程の歴史哲学理論」ではなく、『資本論』はロシアの農村共同体やロシアなどの非西欧地域の歴史過程についての理論を—解明するためのヒントはあるにしても—包括していないという。西欧は、封建制の否定としての資本制、資本制の否定としての社会主義・共産主義制度という、「自然過程の必然性をもって、おのれ自身の否定を生み出す」（マルクス）自生的・連続的発展を遂げてきたし、遂げつつある、というのがマルクスなのである。

今日、非西欧地域の少なからぬ部分の歴史発展過程が西欧の歴史と「全く異なる結果」を導き出したことを知っている。西欧とは異質の歴史発展過程の研究が必要であり、さらに、西欧史研究から確立された理論との関係を解明することであろう。「この現象を解く鍵」をえるためにマルクス晩年の問題意識にたちもどらざるをえないのである。

②マルクス;1879年4月10日付ダニエリソンあて手紙（『全集』第34巻、P296）

「鉄道は、最初は、近代工業が最も発達していた諸国で『事業の頂点』として発生しました」、また、「鉄道建設は先進諸国家で資本主義的生産の終局的発展、したがって終局的転化を促進させた」のに、「他方では、主導的な資本主義諸国における鉄道網の出現は、資本主義がまだ社会のわずかばかりの点に局限されていた諸国が今や最短期間でその資本主義的上部構造（下線は傍点）をつくり出して、それを、生産の主要部分を伝統的な諸形態で営んでいた主要な社会部分とはまったく不釣り合いな大きさまで拡大したということを、ただ可能にしただけでなく、必然性をもって強制さえもしました」。その結果、後進国では「社会的および政治的分解を促進した」という。

後進国にとっては、最新式の工業機械体系も、資本主義の発展の最終段階に属する「上部構造」も、そのための孵化期も必要とせず「最短期間」でつくり出せるというような歴史発展過程は先進西欧の発展と全く異なっている。諸段階の単なる加速された速度での継起的・連続的通過ではなく、最先端的な諸要素と旧態依然たる要素との並存と交流とによって、西欧諸国が通過せざるをえなかった〝特定の発展段階飛ばし〟という点に特徴がある。自生的・連続的発展の産物である西欧的な歴史発展過程の理論をもってしては、この事態は解明つくされない。マルクスがいうように、「この現象を解く鍵」を発見しなければならない。

注）『マルクスの後進国革命像』の淡路氏はいう。「指導的資本主義国で鉄道体系が台頭するようになれば、鉄道建設を契機として後進国では『資本主義的上部構造』が短期間につくり上げられるようになったという主張は、『資本論』の場合と次元を異にするものとして扱われねばならないであろう。つまり、ここで問題にされているのは、抽象的に資本主義生産一般にとってというのではなく、発展段階を異にする西欧資本主義世界と前資本主義的非西欧世界との同時並存という歴史的環境の中におかれていることによって、先進国においては漸次的連続的発展の結果として到達した機械体系に代表される資本主義制度を、後進国では、『資本主義的上部構造』として一挙に接穂しうること、かつまたそのことが、後進国の政治的社会的分解を促進することが語られているのである」（同、P 269。未来社、1971 年）。

「『資本論』の場合と次元を異にする」主張というのはそのとおりだが、「機械体系」自体と「資本主義制度」とを混同すべきではなく、また、後進国の上部構造という台木に「資本主義的上部構造」を接ぐ方の木として「一挙に接穂しうる」というのなら混乱が始まらざるをえないだろう。

③マルクス；1881 年 2 月 16 日付ザスーリチのマルクスあて手紙への返書の草稿（『全集』第 19 巻、P386）

「ロシアは、共同体的所有が広汎な、全国的規模で維持されている、ヨーロッパで唯一の国である。しかし、それと同時に、ロシアは、近代の歴史的環境のうちに存在し、より高次な文化と同時に存在しており、資本主義的生産の支配している世界市場に結びつけられている。…それゆえに、この生産様式の肯定的な諸成果をわがものにすることによって、ロシアは、その農村共同体のいまなお原古的な形態を破壊するのではなくて、それを発展させ、転化させることができるのである。…もしも、ロシアにおける資本主義制度愛好者たちが、このような組合せの可能性を否定するならば、ロシアが機械を利用するようになるために機械制生産の孵化期を経過せざるをえなかったということを、彼らに立証してもらいたいものである！　西洋が数世紀かかってやっとつくり上げた（銀行や信用組合など）交換機構を、いわば数日のうちに自国に導入することに、彼らが成功したのはどうしてなのかを、私に説明してもらいたいものである」。「もしもロシアが世界において孤立していたならば、もしも、西ヨーロッパがその原始的諸共同体社会の存在以来今日の状態にいたるまでの長い一連の発展を経過してはじめて獲得した経済的諸成果を、ロシアが自力でつくりあげなければならなかったとしたらならば、ロシアの共同社会が、ロシア社会の進歩的発展とともに宿命的に死滅すべき運命にあることは、少なくとも私のみるところでは、一点の疑いもないだろう」。

ロシアが世界で孤立していたら西欧の先進資本主義が長い発展の後に獲得した諸成果をロシアが自力でつくりあげなければならないこと、しかもロシアが自力でそうした発展段階に到達したときには、すでに農村共同体は崩壊していて、ロシアの共同体の非資本主義的発展は問題になりえない、というのである。

注）淡路氏は、「もしもロシアが世界において孤立していて、西欧世界からの影響をうけることができず、したがって、連続的自生的発展以外の道がなかったとすれば」、ロシアの原始蓄積過程と資本主義の発展についても、〝先進国は後進国発展の未来像である〟といった発展像—マルクスが『資本論』初版への序言で語った発展像—が想定されることになるとしている。

④マルクス；1881年3月8日付ザスーリチあて手紙（『全集』第35巻、P136、下線は原文では傍点）

「あなたが私にご提出なさった問題について、公表を予定した手みじかな説明をお送りすることができないのは残念です。しかしながら、私の学説と言われるものにかんする誤解についての一さいの疑念からあなたを解放するには、数行でたりるだろう」と書いて、『祖国雑記』編集部あての手紙と同様、フランス語版『資本論』から、「資本主義制度の根本には、それゆえ、生産者と生産手段との根底的な分離が存在する。この発展の基礎は、耕作者の収奪である。これが根底的に遂行されたのは、まだイギリスにおいてだけである。だが、西ヨーロッパの他のすべての国も、これと同一の運動を経過しつつある」と引用をしたあと、「だから、この運動の『歴史的宿命性』は、西ヨーロッパ諸国に明示的に限定されている」とする。このように限定した理由として、「西ヨーロッパの運動においては、私的所有の一つの形態」―『資本論』でいう「自己労働にもとづく私的所有」―から「私的所有の他の一つの形態」―「他人の労働の搾取にもとづく、賃労働にもとづく資本主義的私的所有」―への転化が問題になっているのに対し、「ロシアの農民にあっては、彼らの共同所有を私的所有に転化させるということが問題」だからだと書いて、「こういうわけで『資本論』に示されている分析は、村落共同体の生命力についての賛否いずれかの議論に対しても、論拠を提供していません」とした。

だがマルクスは、この問題について特殊研究をおこなった結果として、ロシアの共同体は、「あらゆる側面からこの共同体におそいかかっている有害な諸影響」を除去し、「自然的な発展の正常な諸条件」をこの共同体に確保すれば、「ロシアの社会的再生の拠点」として機能しうると、確信するようになったと書いている。

②小括

ここで、ロシア社会論を契機に主張されたマルクスの歴史認識をまとめてみたい。

(1)『資本論』の分析の有効性について、「西欧に明示的に限定」され、それは「普遍的発展過程の歴史哲学理論」でも、「すべての国々が資本主義的生産の全段階を通過するという歴史的必然の理論」でもない。

(2)『資本論』の分析は、「西ヨーロッパにおいて、資本主義的経済秩序が封建的経済秩序の胎内から生まれてきたその道をあとづけようとしただけのもの」で、この運動が根底的に遂行されたのはイギリスだけだが、西欧のその他の国々もこれと同一の経過をたどっている。資本主義的生産の歴史的傾向については、この生産は「自然過程の必然性をもっておのれ自身の否定を生み出す」。

(3)「もしもロシアが世界において孤立していたならば、もしも、西ヨーロッパがその原始的共同体社会の存在以来今日の状態にいたるまでの長い一連の発展を経過してはじめて獲得した経済的諸成果を、ロシアが自力でつくりあげねばならなかったならば、ロシアの共同社会が、ロシア社会の進歩的発展とともに宿命的に死滅すべき運命にあることは、一点の疑いもない」。

(4)『資本論』の分析は「西欧がたどりいまもたどっている発展の道とは異なった発展の道」について、ロシアの農村共同体の生命力について、なんら論拠を提供していない。

(5)「いちじるしく類似した出来事でも、異なる歴史的環境のなかで起こるならば、まったく異なる結果を導き出す」。

(6) ロシアの共同体の非資本主義的発展に必要な条件は、先進的な西欧資本主義との、世界市場のなかでの同時並存と資本主義的生産の危機である。

(7) 後進国は、その後進性のゆえに先進国がつくりだすのに必要だった「孵化期」を経過せずに、資本主義的生産様式がつくりあげた「肯定的な諸成果」をわがものとすることができる。

(8)「一般的には、鉄道は対外貿易の発展に強力な刺激を与えましたが、この貿易は、主として原料生産物を輸出している諸国では、大衆の貧困を一層強めました。鉄道のために政府が契約した新たな債務は、大衆を圧迫する租税負担を増大させましたが、そればかりでなく、…以前は多くの場合、売れなかったために廉価だった多くの商品が…高価になって人民の消費から取り上げられました。他方では、生産そのものが …その輸出適性の大小に応じて変えてこられました。…すべてこのような変化は、大地主や高利貸や商人や鉄道や銀行業者などにとっては実際に非常に有利だったのですが、現実の生産者たちにとっては非常に悲しむべきことだったのです」。

(1) から (4) は、マルクスがそれまでに到達した理論的成果と新たに直面したロシアの共同体の問題との関連についてのもので、『資本論』の分析の成立妥当領域もしくは妥当条件を示唆している。それに対し、(5) から (8) は、〝既成の理論〟をふまえながらも、その理論の〝外〟にあった問題について積極的に語りだされている部分である。

さらに、「史的唯物論の定式」と比較・検討してみる。

第一に、「定式」⑥のうち、封建制から資本主義へ、資本主義から社会主義・共産主義への移行は『資本論』によって証明されたといわれるが、マルクスはすでにみたように、この移行の「歴史的宿命性」を「西欧に明示的に限定」したのである。あらゆる民族が、どのような条件のもとにおかれていようとも「資本主義の全局面を通過する」わけではないという。原始的共同体から奴隷制、封建制、資本主義、社会主義・共産主義へという歴史の発展過程は、すべての社会にとって不可避的必然でなく、「定式」⑥は、「過程の不変拘束性」を要求するものでも、また「普遍的発展過程の歴史哲学理論」でもない。

すると、歴史の発展は不規則で無政府的になるのかというと、マルクスは、そうではなく、「もしもロシアが世界において孤立していたならば、…ロシアの共同体が、ロシアの進歩的発展とともに宿命的に死滅すべき運命にある」が、西欧と並存関係にあるロシアの共同体は、諸条件の組み合わせによっては、非資本主義的発展も可能だという。一つの社会は、それが世界において孤立していたならば、やはり西欧のように発展するだろうが、先進的な社会と同時並存していて交流がある場合、諸条件の組合せによっては、先進的社会がたどった発展の道とは異なった道を歩む可能性があることになる。

第二。ロシアなどの後進国が、先進的な西欧の創造した「肯定的な諸成果」を、西欧が必要とした「孵化期」なしに、「最短期間」でわがものとすることができるという。マルクスは「肯定的な諸成果」として、株式制度や信用制度などの「交換機構」と、鉄道や汽船、工場などの「機械体系」をあげている。「定式」⑤との関連でいえば、「より高度の生産諸関係」のための「物質的な存在条件」が「古い社会の胎内で孵化しおわるまでは、古いものにとってかわることはない」とはいえないことになる。「孵化期」を必ずしも必要としない後進社会の、先進社会とは異なる発展には、「定式」⑤はそのまま適用できないといえる。「定式」⑤で本質的なことは、古い社会の生産諸関係が「より高度の生産諸関係」にとってかわるには、そのための「物質的な存在条件」が「孵化期」を経て獲得されているか、先進社会から交易で入手しているかに関係なく、どのような形であれ「物質的な存在条件」が存在するかにある。しかし、第一と同様、もしも世界において後進社会が孤立していたならば、「定式」⑤の成立は疑いないだろう。

3、『資本論』に反対する革命

—グラムシのロシア革命論とその後

イタリア社会党員A・グラムシは、1917年のロシア革命の直後、論文「『資本論』に反対する革命」を発表し、1921年にはイタリア共産党の結成に参加する。1922年からは、コミンテルン執行委員も務める。論文で次のように主張した。

ロシア革命と「定式」について、「ボリシェヴィキの革命は…カール・マルクスの『資本論』に反対する革命である。『資本論』は、ロシアにブルジョアジーが形成され、資本主義時代がはじまり、西方型の文明がうちたてられるまでは、プロレタリアートの反抗や、階級的要求や革命については考えることさえできない、という宿命的必然性の批判的証明だった。…史的唯物論の教条にしたがえばロシア史はこの批判的図式の枠内で発展しなければならなかったであろうが、事実がその図式を粉砕してしまったのだ。…史的唯物論の公式が…考えられてきたほどには厳格なものではないことを、実際行動と現実の成果とを証拠に、主張しているのだ。…マルクスにあってはまだ、実証主義と自然主義のかさぶたがこびりついていたのである」(『グラムシ選集』第5巻、P145～146、合同出版、1978年、以降『選集』と略す)。ロシア革命について、『資本論』や「定式」の教条主義的解釈は不可能なのは確かなのだが、同時に、『資本論』や「定式」の無条件的な放擲も誤りではないか。マルクスへの「実証主義と自然主義」批判はどこへ向かうか、革命の要因論をみればわかる。

ロシア革命の要因や歴史的意義として、グラムシは「(第一次世界大戦という—引用者）言語に絶する苦痛、言語に絶する悲惨の三年間に、ロシアで集団意志をこの戦争がこれほどまでにかきたてようとは予測できなかった。この種の意志は、通常のばあいには…ながい過程、ながい一連の階級的経験をとおして、形成されるはずであった。…だが、ロシアでは、戦争が意志をゆりおこすのに役立った。社会主義者の宣伝は、ロシア人民の社会的意思をつくりだした。イギリスの歴史がロシアで繰返されるのを、ロシアでブルジョアジーが形成されるのを、階級意識が生まれ資本主義世界の破局が最終的に到来することによって、階級闘争がひきおこされるのを、どうして待つ必要があろうか？ロシア人民はこれらの経験を思想によって通過してしまった。…直接的社会主義の正しさが、ロシアで証明されている」（同、P147 ～ 149）と主張する。イギリスのように、ブルジョアジーが形成され、労働者階級と階級意識が生まれるのを待たずに、戦争と「社会主義者の宣伝」により人民の「集団意志」の形成が急速にすすみ、「通常のばあい」に通過すべき経験を「思想」によって通過したと、一方では主意主義的に、他方では「理念革命」的に解釈している。ロシア革命にとって、「戦争が全能の舞台監督」（レーニン）だが、ここには、1861 年の農奴解放以前からの工業化や、農奴解放以後の資本主義の急速な発展や労働者階級の形成と闘争が視野にない。また、ロシア革命は社会主義的綱領を掲げた革命ではなく、生活困窮を改善する「パン」と帝国主義戦争から離脱する「平和」、封建的隷属からの解放として「土地」を求める、労働者と農民、兵士による民主主義的革命であった。

革命後の展望を、グラムシは「短期間で西方世界の生産の高さに達するために、西方の資本主義的経験はひじょうに役立つだろう。…ロシアのプロレタリアートは、社会主義的に教育されて、今日イギリスが到達している最高の生産段階から出発するだろう。革命者は、その理想を完全かつ十分に実現するための必要条件をみずからつくりだす。資本主義が要したよりも短い時間でつくりだす。…最初のうち、それは貧困と苦痛の集団主義になるかもしれない。…この苦痛をできるだけ短期間に消滅させるかぎはプロレタリアートの意志と不屈の労働のなかにある」（同、P148～149）とする。

グラムシは、ロシアにおける経済建設にとって、先進資本主義国が到達している「最高の生産段階」を獲得する交易が必要であることを明確にしている。「最高の生産段階」から出発し大規模に展開すれば、「資本主義が要したよりも短い時間」で社会主義的理想を実現するための条件をつくりだせるのも確かであろうし、最初は「貧困と苦痛の集団主義」にもなろう。革命後の展望についてのこれらの言明は、実際のロシア・ソビエト史で、諸外国からの、崩壊まで続いた〝封じ込め政策〟と、自らの側での新経済政策（ネップ）の中断、スターリンらが表向きには中断を合理化し、裏では先進国の技術・資源を盗用した「一国社会主義建設」という名の鎖国政策により困難に見舞われたのをみても、核心をついている。

その後のグラムシは、レーニン主義への確信からマルクス主義理解を深めたという。たとえば、『獄中ノート』の「新君主論」で「国際諸関係は、基本的社会関係に（論理的に）先行するものか、それとも追随するものか？もちろん追随するものである」とか、「一定期間の歴史のなかに作用する諸力を正しく分析し、それらの関係を規定することができるようになるためには、下部構造と上部構造の関係の問題を厳密に提起し、解明する必要がある。そのさい、次の二原則の範囲を逸脱してはならない。(1)どのような社会も、完成に達したときには、その社会の解消のための必要十分条件がすでにそなわっている。すくなくとも、その条件が登場し発展する過程にある。(2) どのような社会も、その諸関係のなかに含まれている生活の諸形式がすべて展開し終えるまでは解消せず、他のもので代置されることもできない」と書き、マルクスの『経済学批判』「序言」から、「ある社会構成は、発展の余地のある生産諸力がすべて発展しきらないうちは、けっして没落するものではなく…課題そのものはその解決の物質的諸条件がすでに現存しているか、またすくなくともそれらが生成の過程にある場合にかぎって発生するということが、いつも判明するであろうから」（『選集』第1巻、P139～140、合同出版、1978年）を引用している。また、階級概念について、「下部構造と直接緊密にむすびついた社会諸力間の力関係。この関係は、客観的で、人間の意志から独立しており、厳密な自然科学的な体系的学問によって測ることができる。物質的生産力の発展段階という基礎のうえに社会諸集団があり、これらの集団はそれぞれ生産それ自体のなかで一つの機能を代表し、一つの位置を占めている」（同、P145）と「定式」をふまえ解明している。

注）「『獄中ノート』は、客観的に読めば、ソ連共産党とコミンテルンの基本理論とそれにもとづく実践のひろい範囲にわたる批判でもあることがわかる」（グラムシ没後60周年記念国際シンポジウム『グラムシは世界でどう読まれているか』の石堂清倫著「ヘゲモニー思想と変革への道」、P15～16、評論社、2000年）とか、「スターリンの専制主義による社会主義の理論と実践の深刻な歪曲にたいする根本的な理論的な批判をグラムシが重視していた」（同、松田博著「グラムシ思想のアクチュアリティ」、P93）とか、「ロシア革命を…マルクスの史的唯物論の命題の破綻を立証するものととらえたグラムシ」（同、小原耕一コメント「グラムシにおけるマルクス読み変え」、P160）とか、「定式」の教条主義的解釈への批判や、「定式」の破綻を強調するだけになっている。

「定式」の破綻や、ロシア革命の主意主義的理解の近年の例は、「（労働者階級による資本主義社会の転覆という予測は—引用者）一つの予測としてみれば、この予言は歴史的事実によって誤りであることが証明されている。…工業化とともに…中間階級は大きく増大した。1917年ロシアで起こったような革命が成功したのは、戦争によって衰弱した社会の弱みにつけ込んだ少人数の戦闘的な職業革命家の力によるものだった」（ロンド・キャメロン、ラリー・ニールの『概説世界経済史Ⅱ』、P37、東洋経済新報社、2013年）。

グラムシは、マルクスに立ち返り考察をすすめる。社会構成体論では、「一つの国家—民族の内部関係に国際関係がからみあって、有機的で、歴史的に具体的な、新しいもろもろの組み合わせが生じるということである」として、原注に「たとえば、宗教は、つねに内外にわたる政治的—イデオロギー的組み合わせであった」（同、P148）と書いて、「定式」をふまえつつも新しい事態の解明に発展させようとしている。政治闘争論では、「機動戦」と「陣地戦」、「統一戦線」についての解明と提唱、政治的・経済的民主主義にとっての三権分立の重要性の解明などは貴重であろう。

ロシア革命後、「『資本論』に反対する革命」は次々に起こることになる。直後の、「資本主義を飛び越えて」のモンゴルから中国、キューバなどである。1921年からのレーニンの新経済政策、1978年からの中国の改革・開放政策、1986年からのベトナムのドイモイ（刷新）政策などが注目されてきた。「『資本論』に反対する革命」は非資本主義的発展を意味する。一方で遅れた条件からの出発が「『資本論』に反対」したがため、いかに大きな困難をともない逆行もありうるのかも、また他方で「『資本論』に反対」したために見出された可能性—交易と市場経済などを活用しながら、「資本主義的有為転変」（マルクス）を通過することなく、社会主義社会にいたるにはどのような要素が必要なのかも明らかになってきている。

注）「史的唯物論の定式」の「検討」については多数の先行研究がある。また、それらにもとづく新しい世界史像も提案されてきた。ここでは、日本共産党の不破哲三氏の「定式」論に注目したい。

不破氏は、マルクスの「定式」を本論と同じ６つの「テーゼ」に分けて解説したあと、「マルクス自身は、史的唯物論の定式を、まったく行を換えないで、最初から最後まで一続きの文章として書いています。…おそらくかれがこのテーゼ全体を通して一番言いたかったのは、社会変革はどういう力によって生まれ、どういう過程でおこなわれるかということだと思います。その社会変革を土台と上部構造の関連でとらえる論理が、第３～第５テーゼで展開され、定式全体の中心にすえられています。まず、土台で生産力と生産関係の矛盾が発展し、生産関係が生産力の『桎梏』になったとき社会革命の時代が始まる、これは土台が決める（第３テーゼ）。では、その社会革命はどこで決着がつくといえば、上部構造で決着がつく。これは、社会の変革では、上部構造での決着が主要な役割をになう、ということです（第４テーゼ）。そのうえで、社会変革の条件についてもう一度論じた上で（第５テーゼ）、人間社会が社会変革を重ねてきた過程を歴史的にたどり、そして最後にこれからの変革で新しい人類社会が生まれるという展望で結ぶ（第６テーゼ）。この全体をまとめてみると、土台と上部構造の関係も社会変革を焦点においてわからせる文章だという印象を強く受けます。だから文字通り、相互作用がどこではたらくかということを、初めから前提して論じているのですね。第５テーゼの解説で、私はその内容を革命の『必要条件』と『十分条件』として整理したのですが、マルクス自身は、『社会構成体は、すべての生産力が発展しきらないうちはけっして没落しない』という形で、社会変革にかかわる土台と上部構造の関係の問題にもう一度立ち返っています。ここで指摘しているのは、変革が問題になるのは経済的土台にそれだけの物質的条件が成立したときだということであって、その物質的諸条件が生かされて現実に変革が起きるかどうか、またその変革が成功するかどうかは、人間の活動、つまり上部構造での諸闘争によって決まる。経済的矛盾の成熟は革命の必要条件であって、十分条件ではない、ということですね。ここでは、そういう社会変革の見方が、経済決定論にはなりようのない明確な書き方でのべられています」（『前衛』2013 年 12 月号、P108 ～ 109、日本共産党中央委員会）と、理論史と現実の歴史をふまえ、「第６テーゼ」の「社会構成体」、「アジア的生産様式」と冒頭の「大づかみにいって」に注意を促し、一般的な説明を加え、マルクスの意図するところを明らかにしている。

さらに、「社会構成体論から日本の歴史を見る」として、日本社会の発展の典型性とともに、あれこれの社会の発展段階の「飛び越し」に言及している（同、P112～113)。

「たいていの国は、社会の発展段階が飛んでいるのです。たとえば、ゲルマン民族は、共同体社会の時代にヨーロッパに乗りこんできて、ローマの奴隷制帝国の経済的・文化的な遺産を全部引き継いで、封建制の社会関係をつくり、ドイツやフランスの封建国家をつくっていったでしょう。ゲルマン民族自体としては、共同体社会から一気に封建制社会に飛躍したのです。奴隷制の段階が飛んでいるんですね。

日本では、共同体社会から古代国家に移った、これはギリシア＝ローマ型とは違う〝まるごと奴隷制〟[★］を土台にした国家でした。そこから、国内的な変化をかさねて封建制社会に移ってゆく。この社会が完成するのには、ずいぶん長い時間がかかるのですが、徳川幕府時代にまでなると、幕末に日本に来たイギリスの初代大使（オールコック）が、まるで中世のイギリスとそっくりそのままだと感嘆の声をあげた程、ヨーロッパの封建制とほぼ同じ体制に到達していました。

（原注★まるごと奴隷制；ある地方の多数の共同体が統合されて、最高の権威をもった首長・専制君主の支配下におかれ、この首長（専制君主）が共同体の成員の剰余労働を貢納や賦役などの形で搾取する体制のこと。マルクスは、この形態が、当時、アジア諸国の歴史に多く発見されることから、「東洋の一般的奴隷制」（「57～58年草稿」『資本論草稿集』② 149ページ、「全般的奴隷制」とする訳書もある）と呼んで、奴隷制の一形態として位置づけました。この場合、奴隷となった一人一人ではなく、共同体がまるごと搾取されるところに特徴がありますから、不破は、その略称として〝まるごと奴隷制〟ということばを使ってきました。）

それで明治維新以後は資本主義社会への転換でしょう。まるで教科書のように、マルクスが概括した社会発展の段階をすべて経ているわけで、こういう歴史をもった国は、世界にほかにないのですよ。…

一つの問題は日本の歴史で現れたのは、共同体そのものが首長に従属するという〝まるごと奴隷制〟で、ギリシア＝ローマ型の奴隷制ではないことでした。

私は、この問題では、19世紀の末、マルクスの死後のことですが、シュリーマンがトロヤの発掘で、ギリシアの古い時代の歴史をひらいたことから、奴隷制の見方に大きな変化が起こったと思っています。つまり、ギリシアには、われわれが知っている奴隷制の前に、ミケーネ文明という一時代があったことが判りました。そこでは、古代日本と同じように、〝まるごと奴隷制〟の社会だったのです。それが崩壊した後、その文明的遺産を受けついでギリシアの奴隷制社会が生まれたわけです。

そういうことがわかった目で世界を見ると、〝まるごと奴隷制〟という社会段階は、中国、インドなどの古代のアジア諸国や古代のアフリカ諸国など、世界中で発見されました。ヨーロッパの侵略で崩壊したインカ、アステカ、マヤなどもやはりこの型に属する古代国家だったと見られています。…

私は、むしろ、ギリシア＝ローマ型の奴隷制の方が、ギリシアの歴史が生み出した一変種ではないか、という感じを持っています。ああいう社会体制は、他ではなかなか見つからないですから。だから、社会発展の奴隷制の段階というとき、ギリシア＝ローマ型だけでなく、マルクス以後に発見された〝まるごと奴隷制〟を含めれば、日本史だけでなく、世界史全体の見通しがよくなります。」

奴隷制、封建制、資本主義の各段階の侵略や略奪、植民地化や従属化により、一方では歴史逆行、他方では〝発展段階飛ばし〟を強行することによって、諸社会・地域・国の自発・自展的（自生的）発展―干渉や外圧を受けない場合の、歴史の五段階発展―を破壊してきた。その結果、さまざまな混合的、複合的、中間的な、独自の社会・地域・国が形づくられるようになり、なかでも前資本主義社会の非資本主義的発展の可能性さえも立ち現れるようになる。

注）姜尚中氏は、戦前の植民政策学者・新渡戸稲造の後継者で、「基本的には、『植民』の『文明化作用』を堅く確信していた」矢内原忠雄

氏の『植民及植民政策』、『帝国主義下の台湾』などの著作をあげ、「之（植民―引用者）によりて旧社会（植民地宗主国―引用者）の経済が発達（下線は傍点、以下同）するのみならず、植民地も亦労力資本及び進歩せる経済組織の輸入を受けて、新に世界経済に引き入れられる。而して人類全体より見て労力及び資本のより生産的なる分布が達せられるのである。…国際的分業の拡張に伴う生産総額及び種類の増加。かくして植民の効果は、量的及び質的意味に於ける人類経済の発達！」（「社会科学者の植民地認識」、『岩波講座　社会科学の方法Ⅵ』、P 125 ～ 128、岩波書店、1993 年）を引用する。そして、「植民」を「文明の伝播」とし、「地球と文化と人類の最高発展」とみなした新渡戸の植民論の継承・発展だとする。そのうえで、「『植民』に伴う自然環境と社会的自然＝民族的紐帯の荒廃についてほとんど楽観的な展望をいだいたままであった。…植民問題の本質が民族問題（植民地本国と植民地との従属関係―引用者）にあることを見抜くことができなかった」と批判する。

また、鷲田小彌太編著『現代思想がわかる事典』（日本実業出版社、1995 年）は、先進国と後発国について。「後発国は経済力が低く、主として農業経済でなり立っている。しかし、工業国家を建設するためには、工業が必要であり、そのための機械類が必要になる。それらを当面、自国で生産できないとすれば、先進国から輸入する必要がある。そのためには何かを輸出しなければならない。輸出できるものといえば、主に農産物であるか軽工業品（繊維製品など）である。そして、これらの財も輸出力をもつためには安い価格でなければならない。ここから、後発国の権力は国内の農民や労働者を抑圧して、安い賃金で労働させ、その製品を海外で売りさばき、その見返りに工業機械類などを輸入し、将来の工業国家の基礎をつくるという方向を採用するケースも出てくるのである。…いまのケースは、これももちろん一般化できるものではなく、さまざまなケースのうちのひとつにすぎない…（ちなみに、もし先進国が後進国に対して、工業の部門で援助してくれる―タダでくれる―場合には、後進国の政治権力は無茶をする必要がなくなるだろう）」（P 157）。ソ連・東欧の崩壊で「共産主義」は敗退したとする鷲田氏。後発国にとって、「機械類の輸入」とそのための「農産物や軽工業製品の輸出」、および「輸出力」をもつための「農民と労働者の抑圧」が必要になると。さらに、〝先進国が機械類をタダで与えれば、後発国の政治権力は無茶しないですむ〟という話にまで及んでいるのは興味深い。

［Ⅳ］唯物弁証法―その二つの形態

1、歴史観と世界観

①機械的唯物論から弁証法的唯物論、「唯物弁証法の核心」と唯物弁証法の一形態としての絶対弁証法、絶対弁証法の〝危機〟

哲学の歴史は機械的唯物論から弁証法的唯物論に向かった。この弁証法の核心について、マルクスは『資本論』第２版へのあとがきで次のように書いている。

「この弁証法は、現存するものの肯定的理解のうちに、同時にまた、その否定、その必然的没落の理解を含み、どの生成した形態をも運動の流れのなかで、したがってまたその経過的な側面からとらえ、なにものによっても威圧されることなく、その本質上批判的であり革命的である」(『資本論』第１分冊、P 29、新日本出版社、1982 年)。

そして、資本主義社会の没落と社会主義社会への移行の必然性をうちだす。また、『資本論』第１部での〝先進国は後進国にとっての未来像である〟との言明や、その具体化として、第３部で採用されている手法―先進国の発展の時系列を、空間的に横に倒し途上国の発展段階とみなす手法、あるいは、第２部にみられる〝全商業世界を一国とみなす〟手法―ただし、価値実現論の展開上やむをえない単純化ではあるが―『資本論』の方法は、弁証法の一形態としての「絶対弁証法」に酷似している。

しかし、「絶対弁証法」は、ロシアの革命運動からの問題提起を皮切りに、各方面から〝危機〟に直面することになる。

帝国主義時代の始まりとともに途上社会・地域・国の植民地化、従属化が広がり、その社会・地域・国を含め軍事的、経済的、政治的、文化的な関係網が張り巡らされ、資本輸出が活発になる。その一方、植民地、従属国での反帝国主義運動も開始され激化していく。その中から、資本主義的には遅れていたロシアで1917年に革命がおこり、レーニン政権が樹立される。だが、レーニン死後、スターリンらがすすめた「一国社会主義」建設で、ソ連共産党による指導制、マルクス・レーニン主義の国定哲学化、労働者・農民排除の国家機関による一元的計画経済などが構築される。さらに対外的に覇権主義に転換すると、こうした思想・体制は、衛星国を中心に広く〝輸出〟され、長期にわたり害悪を及ぼしてきた。

マルクスは「現存するもの」の「肯定的理解」が「必然的没落の理解」になるという。しかし、帝国主義・覇権主義の時代になって「現存するもの」とともに〝押し付けられたもの〟および両者の合体物の「肯定的理解」による「必然的没落の理解」が必要になる。また、「自然過程の必然性をもって、おのれ自身の否定をうみだす」とも書いた。しかし、「おのれ自身の否定をうみだす」だけの、一過程だけの弁証法でよいのか。「おのれ自身の否定をうみだす」弁証法どうしの相互作用、あるいは諸過程の相互作用をふくむ弁証法を解き明かす必要があるのではないか。「普遍的発展段階論」に対し類型論が対峙し、「世界史の基本法則」に対しては、国際的契機が必ず付言される。

20世紀初頭の物理学からも「絶対弁証法」の〝危機〟はきている。相対性理論はアプリオリに想定された絶対空間と絶対時間で記述される運動を退け、科学的に観測可能な運動とローレンツ変換および一般座標変換の不変式を研究の対象にする。また、量子論は不確定性原理にもとづき決定論を排し確率論を採用する。エネルギー、物質、作用などの最小単位も規定する。

唯物論的「絶対弁証法」は、「絶対」的性格から決定論的と批判され、また、その「弁証法」的性格を単線的だとしてそれを放棄し類型論を取り入れよと迫られる。さらに「情報」の役割も重要で「情報が世界を変える」として「唯物論」に固執するなと非難される。もたらされる情報には主観的認識が含まれているのに、情報交換にもとづく間接認識を直接認識と等しく扱えと要求される。

新しい形態の弁証法的唯物論が、帝国主義・グローバル資本主義と最新の自然科学のもとに求められているのではないか。

注）エンゲルスは機械論的唯物論から弁証法的唯物論への発展について、「観念論が一連の発展段階をへてきたように、唯物論もまた同じく発展した。自然科学の領域においてにしろ画期的な発見がなされるごとに、唯物論はその形態をかえなければならないのである。それにまた、歴史が唯物論的なあつかいをうけるようになってからは、ここでも、唯物論の発展にとって新しい道がひらかれている」（科学的社会主義の古典選書『フォイエルバッハ論』、P39、新日本出版社、2006年）として、細胞とエネルギー転化とダーウィンの進化論の発見をあげた。エンゲルスが〝自然科学の領域においてだけでも、画期的な発見があるたびに唯物論はその形態をかえねばならない〟と書いてから今日まで物理学から生物学まで画期的な発見に満ちている。

②唯物弁証法の二形態とヘーゲル弁証法、相対弁証法の二形態

ヘーゲルは『精神現象学』で「精神」が初発的な「感覚的確信」から「観察する理性」や「絶対の自由と死の恐怖」を経験した後、「絶対知」にいたる論理を展開し、さらにこれをふまえた『論理学』では、有論の「有

―無―成」や本質論の「本質―現象―現実性」、概念論の「主観―客観―理念」、全体の構成としての「有論―本質論―概念論」などの展開で、絶対的精神の自己展開について叙述している。『精神現象学』は学の前提をなし、『論理学』から学が始まるとされ、さらに『論理学』は法哲学、歴史哲学、宗教哲学などの精神哲学を成し、力学、物理学、生物学などの自然哲学の前提とも支柱ともされている。しかし、「神はあらゆるものの初めであり、かつあらゆるものの終わりである。すべてはこの点より生じ、すべてはこの点に帰る」（『宗教哲学』上巻、P 16、『ヘーゲル全集』第 15 巻、岩波書店、1995 年）とされているように、真の支柱は「神」なのだ。『精神現象学』や『論理学』をはじめ、基本的に三段階の形式をもつ弁証法（三分法の弁証法）によって各分野が展開・叙述されている。

注）「論理学は絶対的理念（絶対的精神と同義―引用者）の自己運動を、ただ根源的な言葉として叙述するものである」（『大論理学』下巻、P 357、岩波書店、1968 年）とされ、論理学と諸学との関係については、「法の哲学」では、「本書の全体もその分枝の形成展開も論理学的な精神にもとづくということは、おのずから読者の目に立つであろう」（『世界の名著第 35 巻　ヘーゲル』、P 154、中央公論社、1967 年）、「哲学史」では、「論理的理念（論理の形であらわれた絶対的精神―引用者）のさまざまな段階をわれわれは哲学の歴史のなかでつぎつぎにあらわれ出てきた哲学の諸体系という形で見出す」（『小論理学』、P 239、岩波書店、1996 年）、「宗教哲学」では、本文のとおり論理的理念の展開の最後に位置するのが「神」であり、この終末が、また宗教哲学の始元であるとされる。

　ヘーゲルの『哲学史講義』『歴史哲学講義』『精神現象学』の訳者である長谷川宏氏は、「『論理学』が基礎であるとは、それがたんに、すべての事象のもとになることを意味するばかりでなく、あらゆる事象を貫徹する論理の本質的な部分が、すべて実体的に『論理学』のうちにふくまれるということも意味していた」（『ヘーゲルを読む』、

P 11、河出書房新社、1995年）としている。

弁証法の構造について、「一般的構造は、〈端緒［始元］―進展―終局〉、〈即自―対自―即かつ対自〉、〈普遍―特殊―個別〉などと多様に定式化されるが、基本的に三分法（三段階）の形式をとる」（『ヘーゲル用語事典』、P 40、岩佐茂・島崎隆・高田純編、未来社、1991年）とされる。

弁証法の「三段階」の展開を念頭において、この展開形態をA―B―Cとして、論理Lの展開形態を、

形態（0）＝L（A）―L（B）―L（C）

としておく。

論理の展開に対し歴史の展開をどう考えたか、「歴史哲学」をみてみる。まず、「理念こそがまさに民族や世界の真の導き手であって、精神のもつ理性的かつ必然的な意思は、いつの時代にあっても、現実の事件をみちびく」（『歴史哲学講義』上巻、P 22、長谷川宏訳、岩波文庫、1997年。以下『講義』と略す）とされる。論理が歴史哲学では「理念」や「理性」に代わり、「民族と世界の真の導き手」とする。そして、「理性にとって前提となるのは理性そのものだけであり、理性の活動や生産は、理性の内実を外にあらわすことにほかならず、そのあらわれが、一方では自然的宇宙であり、他方では精神的宇宙―つまり、世界史―なのです。その理念が世界のうちに啓示されること―それが、すでにいったように、哲学が証明するところであり、歴史においては、証明ずみの真理として前提される」（同、P 24～25）。ここでいう「哲学」とか「証明ずみの真理」とは、『精神現象学』とそれにつづく『論理学』の展開を指している。「理念」や「理性」はさらに「絶対的精神」に代わり、それは「世界精神」、「民族的精神」などとして顕現され、「世界史は世界精神の理性的かつ必然的なあゆみ」「世界史の本体は精神であり、精神の発展過程」「神の計画の実行が世界史」であって、「精神の

実体ないし本質は自由」で「世界史とは自由の意識が前進していく過程」とされる。全体として、「自由の理念」＝「絶対的精神」が「民族的精神」を手段として各民族の歴史に実現されていく姿を叙述している。

「絶対的精神」が産出する「理念」の展開（A―B―C）と世界史を同一とみなし、世界史をＳ$_0$として、展開形態を、

形態（Ｉ）＝Ｓ$_0$（A）―Ｓ$_0$（B）―Ｓ$_0$（C）

とする。

ところで、ヘーゲルは、世界史の発展段階として、三つの角度からのべていて、まず人間それ自体の自由の展開は、「東洋人はひとりが自由だと知るだけであり、ギリシャとローマの世界は特定の人びとが自由だと知り、わたしたちゲルマン人はすべての人間が人間それ自体として自由だと知っている」（同、P 41）とか、国家体制のあゆみは、「真の独立国家の発展は、はじまりは家父長制的ないし戦闘的な王制。そのあとに寡頭制（貴族制）。最後に君主制（王制）」とか、世界史の「第一段階は、精神が自然のありかたに埋没した状態。第二段階は、そこをぬけだして自由を意識した状態。第三段階は、いまだ特殊な状態にある自由から純粋に普遍的な自由へと上昇した状態」（同、P 101）と、それぞれの三段階をあげている。そして、「世界史は、自由の意識を内容とする原理の段階的発展としてしめされます。この段階のこまかな定義は、一般には論理学において、もっと具体的には精神哲学においてしめされます」と論理学と精神哲学が歴史哲学の前提であることを再度強調している。

他方、世界史は東洋的治世（中国・インド）にはじまり、ペルシャ・エジプトを経て、ギリシャ的治世、ローマ的治世からゲルマン的治世で終点をむかえるとの展開のように、絶対的精神が、民族的精神として現れ、民族と場所をかえて段階的に展開される。「特定の民族精神が

世界史のあゆみのなかでは一つの個体にすぎない」(同、P 95) とされ、しかも、世界精神を体現する任務がゆだねられている世界史的民族は、「世界史のなかでただ一度だけ時代を画することができるだけである」。世界史的民族の歴史には、「幼児の状態から脱して完全に開花するに至るまでの発展」とともに「衰微と破滅の時期」も含まれ、より高い原理の出現による別の民族への世界史の移行によって、「より高い原理を積極的に受容してこれに同化すべく陶冶しはするが独立性を失うか、あるいはまた、余命をひきずってゆき、さまざまな国内的な企てと対外的な闘争のなかにあって、偶然のままにさまよう」(『世界の名著第35巻　ヘーゲル』の「法の哲学」、藤野渉・赤沢正敏訳、P 597 ～ 598、中央公論社、1967 年) のである。加えて、東洋世界とアフリカにあっては、永遠の停滞だけが残され、南北アメリカは植民地という理由で世界史からとりあえず除外される。この世界史の展開形態は、世界史的民族を S_1、S_2、S_3 とすると、

形態 (Ⅱ) ＝ S_1 (A) ―S_2 (B) ―S_3 (C)

となり、形態 (0) の特殊化・個別化による一民族についての展開形態 (n ＝ 1、2、3 などとする)、

形態 (Ⅰ′) ＝ Sn (A) ―Sn (B) ―Sn (C)

は考えられていない。

ヘーゲルによると、「世俗の状態に自由を浸透させ自由を確立するには、長い時間の経過が必要で、その経過が歴史自体なのです。原理そのものとその適用 (現実の精神と生活へのその浸透) とのちがいは歴史哲学の根本命題であって、思想の本質をなす。さしあたり、潜在的なものにすぎない自由の原理と、現実の自由との無限のちがいについて、それを区別することが重要」(『講義』上巻、P 40 ～ 42) ともされている。

さらに、ヘーゲルは諸民族の文化同士の接触・相互作用も考慮にい

れている。たとえば、「ギリシャの歴史は三つの章にわかれる。第一章が、現実に個人が生成してくる時期であり、第二章が、以前の世界史的民族と接触するなかで対外戦争に勝利をおさめ、国家の独立と幸福を謳歌する時期であり、第三章が、後代の世界史を担う民族と衝突して、衰退と没落の憂き目を見る時期です。民族のはじまりから、他民族と張りあえるまでに国内機構が整備されていく時期が、民族の第一の形成期です。まわりに先行する世界が存在する場合（ギリシャの場合は東洋世界がそうですが)、民族のはじまりに他国の文化がながれこみ、民族の形成は内発的な力と外部からの刺激の両面からおこなわれる。二面からくるものを統一するのが民族の教育というもので、第一期のおわりには、両面が合体して、先行世界と対決できる、独自の現実的な力量がつちかわれます。第二期は勝利と幸福の時期です。しかし、民族が外にむかうようになると、国内の政治機構にゆるみが生じ、対外的な緊張が解けたときには内部分裂がうまれる。芸術や学問の世界にも、理想と現実の分離というかたちで分裂が生じる。そこから衰退がはじまります。第三期は、より高度な精神を内包する民族とぶつかって、没落へとむかう時期です。ここではっきりいっておきますが、今後世界史に登場するすべての民族について、おなじような興亡のあゆみがみられます」(『講義』下巻、Ｐ９～10）として、インド—ペルシャ—エジプト—ギリシャ—ローマ—ゲルマンなどの移行が「歴史哲学」の本論のなかで説明されている。

注)「『理性の狡智』論を構成する、『理念』と『情熱』という二契機の…両義性がもっともよく観察されるのは、ヘーゲルの歴史が、直線的な自由の拡大という進歩主義的様相の他に、『民族精神』あるいは『時代精神』という表現に看取されるような、各時代、各民族の歴史的特殊性・一回性の強調、あるいはそれを支える、伝統や慣習の重

視という様相をももっていることであろう」（『ヘーゲル社会思想と現代』の池田成一論文「歴史哲学―〝理性の狡智〟を中心として―」P202、城塚登・浜井修編、東京大学出版会、1989年）。「直線的な自由の拡大」ばかりでなく、各時代と民族について「歴史的特殊性」を認めなければならないというのは当然であろう。しかし、あらぬ方向にすすんで、論者は、マルクスが「『英雄』的主体主義と、客観主義的生産力主義の両義性を生む原因をつくった」と非難している。

長谷川宏氏は、「『歴史哲学講義』のヘーゲルは、理性と事実を二つながら視野の下におさめ、その対立と統一のありようを冷静に追求しているというより、理性と事実のあいだに引き裂かれているというに近いのだ。引き裂かれた観察者に、事実と理性を合わせふくんだ歴史が明確な像を結ばないのは、思えば、当然のことである。そこにきて歴史の理性はいわば行きなずんでいる。そういうことが『歴史哲学講義』ではしょっ中起こる。理性を逸脱するかに見える混沌とした事実のなかに大胆に踏みこんで、そこになんとか筋道の立った理路をつけてみようとする。その悪戦苦闘ぶりを示したのが『歴史哲学講義』だといってもよい」（『ヘーゲルを読む』P 200 ～ 201、河出書房新社、1995年）としていて、複雑な歴史上の事実に翻弄されるヘーゲルに着目している。また、「ヘーゲルのことばを丁寧に見ていくと、このテーゼは、ヘーゲル自身の目から見ても、うまくできすぎたテーゼだと思えてくる。一人の自由から特定の人の自由へ、さらには万人の自由へ、ヘーゲル自身が歴史をそのように円滑に流れてゆくものとして見ているわけではないのだ。その図式は、世界史の全体をまとまりのある発展過程としてとらえようとして、ヘーゲルが外から押しつけた枠組」とも書いている。いずれも、首肯できよう。

さらに、ヘーゲル本人は、「哲学史」のなかで、「さまざまな形がつながりをもってあらわれ、そこに思想上ないし認識上の必然性があることをしめすのは、哲学の課題であり任務です」として、「あらわれかたのもう一方、つまりさまざまな段階や発展の局面が、時間のなかで、歴史的な出来事として特定の場所で、特定の民族のもとで、特定の政治状況のもとで、幾多の要素がからみあって、―要するに経験的な形式で―生ずるといったあらわれかたをするようにみえるとき、その光景を記述するのが哲学史です」とヘーゲル哲学の課題と哲学史の課題を整理している。そのうえで、「歴史における哲学体系の時間的順序は、理念の世界において概念内容が論理的に演繹されてくる順序と同一のものだということができます。概念の論理的な展開をそれだけとりだしてみれば、それがすなわち大体において歴史上のさまざまな哲学体系の展開過程です」とし、論理＝歴史を主張している。

その一方、ヘーゲルは、「とはいえ、歴史上の時間的な順序と概念体系の順序がくいちがう側面のあることもいうまでもありません。どういう側面でくいちがいがおこるかは、迂遠すぎてふかいりできない」（『哲学史講義』上巻、P 34 ～ 35。長谷川宏訳、河出書房新社、1992 年）とするが、惑いがみえ解明を中断している。「迂遠すぎてふかいりできない問題」の解明こそ求められている。

ヘーゲルの叙述を念頭におき、「精神」の発展段階 A、発展段階Ｂとその萌芽をｂ、「精神」の発展段階Ａとｂの接触・相互作用をＡ＊ｂ、Ａとｂとの統一をＢとする（相互作用は乗除型と加減型とがあるが、前者の対数をとれば後者になり、両者は同じ相互作用の異なる形態）。

民族S_2に注目すれば、先行の民族S_1と、後発の民族S_2がぶつかり、より高度な精神ｂを内包している民族S_2へ、民族S_1から精神Ａが流れこみ、精神Ａとｂの両面の統一である精神Ｂを確立したあと、次に、民族S_2（Ｂ）は、次第に衰微の時期にはいるが、さらに高度な精神ｃを内包している民族S_3（ｃ）とぶつかり、より高度な精神ｃを受容し、民族S_2（Ｂ＊ｃ）となるも、力なく浮遊するようになり、S_3（Ｃ）と交代するという。民族S_3に注目しても同様な過程を歩むという。先ほどからの表現方法を使えば、展開形態は、

$$\text{形態（Ⅲ）} = S_1(A) - \{S_2(A*b) - S_2(B) - S_2(B*c)\} - S_3(C)$$

となろう。ヘーゲルからの引用ですでにみたように、「まわりに先行する世界が存在する場合、民族のはじまりに他国の文化がながれこみ、民族

の形成は内発的な力と外部からの刺激の両面からおこなわれる。二面からくるものを統一するのが民族の教育というもの」であり、「衰微と破滅の時期」にさしかかった民族は、「より高い原理を積極的に受容してこれに同化すべく陶冶しはするが、独立性を失うか、あるいはまた、偶然のままにさまよう」のだから。

ここの「内発的な力」も「外部からの刺激」も「民族的精神」からみての「内」「外」であり、「絶対的精神」内の複雑な運動を示す。また、国家のあり方を考える上で、「国家体制を一般に君主制、寡頭制（貴族制）、民主制に分類するのは理にかなっています」としながらも、「とくに注意すべきは、三つの体制それぞれが、その本質的な枠組のなかに、多くの特殊な変更をうけいれるばかりか、本質的な枠組がいくつかいりまじり、不格好で不均衡で一貫性のない形態ができあがったりもする」（『講義』上巻、P 81 ～ 82）と、政治体制の複合的構成にまで言及していて、歴史過程は一層複雑になる。

ヘーゲルにとっての歴史の展開は、論理の展開形態（0）を前提し、現実の歴史を直視して、世界史全体では展開形態は形態（Ⅰ）としつつも、興亡をくりかえす世界史的民族の「民族的精神」の連鎖は形態（Ⅰ′）でなく、形態（Ⅱ）であり、より立ち入れば、形態（Ⅲ）であった。

ところが、形態（Ⅲ）の｛S_2（A＊b）－S_2（B）－S_2（B＊c）｝は、実際は、展開｛S_2（A）－S_2（B）－S_2（C）｝を、一般的には、形態（Ⅰ′）を、複雑化した形、あるいは近似的な形で含んでいる。形態（0）を前提し、（Ⅰ′）が成り立つとすると、形態（Ⅱ）、（Ⅲ）は成り立たず、逆に、形態（0）の前提で、形態（Ⅱ）、（Ⅲ）が成り立つとすると、形態（Ⅰ′）が成り立たない。形態（Ⅰ′）と、形態（Ⅱ）、（Ⅲ）は相互に反発しあう。考えられていなかったはずの形態（Ⅰ′）は隠れた主役であった。そして、もし民族同士の接触・相互作用が全くないとしたら、あるいは、民族同士の接触・相互作用を捨象したら、論理の展開形態（0）、世界史の展開形態（Ⅰ）、個々の民族史の展開形態（Ⅰ′）は、完全な形で両立する。いずれも、自己完結体の自己運動を現している。

形態（Ⅲ）のS_2（A＊b）以降の展開は、ヘーゲルが指摘するところの政治体制の複合化なども考慮すると、より複雑になりえるのであって、精神Aとbの接触・相互作用から、その統一として精神Bが生成・確立されるS_2（A＊b）－S_2（B）だけでなく、流入してきた精神bを排除して従前の精神Aに復帰するS_2（A＊b）－S_2（A）、精神Aとb両方を克服して新しい精神Xを創りだすS_2（A＊b）－S_2（X）などを含む展開形態、

形態（Ⅳ）＝S_2（A＊b）－S_2（B）、S_2（A＊b）－S_2（A）、
S_2（A＊b）－S_2（X）

などがありうる。形態（Ⅳ）は形態（0）から展開された諸形態の終端に他ならないが、形態（0）を否定する。形態（Ⅰ）は世界史全体の前進的諸段階をしめす形態であったから、形態（Ⅰ）と形態（Ⅳ）とは両立できる。その際、世界史的民族だけの発展は形態（Ⅱ）で表現できる。

さらに、ヘーゲルにとって、「無限の力」「無限の素材」「無限の形式」「無限の内容」（『講義』上巻、P 24）である唯一・自己完結・無限・絶対の「絶対的精神」の自己展開である展開形態（0）は絶対的に重要であり、「論理学」で「証明ずみ」の展開であった。これらのことから、個々の民族の歴史の研究から導出された形態（Ⅱ）、（Ⅲ）、（Ⅳ）は、形態（0）、（Ⅰ）、（Ⅰ′）の下に副次的な位置におかれていることが明らかになった。

また、民族同士の接触・相互作用が全くないか、捨象した｛形態（0）、（Ⅰ）、（Ⅰ′）｝の組が現わす「周りに先行する世界がない場合」の弁証法と、民族同士の接触・相互作用を考慮した｛形態（Ⅱ）、（Ⅲ）、（Ⅳ）｝の組が現す「周りに先行する世界がある場合」の弁証法、さらに、形

態（0）を排除する｛形態（Ⅰ）、（Ⅰ′）、（Ⅱ）、（Ⅲ）、（Ⅳ）｝の組が現す、前者と後者の両方の場合を含む弁証法が存在することになる。この第三の弁証法に照応する、論理の展開形態（0）をより複雑にした論理の展開形態が必要になるのだろうか。

自己完結体である「絶対的精神」の自己運動を現す発展形態を絶対弁証法的発展と呼び、諸民族の接触・相互作用から創りだされる歴史の発展形態を相対弁証法的発展とすると、ヘーゲルの歴史哲学のなかには、絶対弁証法的発展形態と相対弁証法的発展形態の両方を含んでいるといえる。ヘーゲルは絶対弁証法的発展形態の立場に立脚しつつも、それだけに固執して、すべての諸民族が「絶対的精神」のあゆみと同様の発展過程を経過するとは考えず、相対弁証法的発展形態も認める。相対弁証法的発展形態は絶対弁証法的発展形態から展開され、そのなかには絶対弁証法的発展形態を含みつつも相互に排除しあうという矛盾の関係にある。また、ヘーゲルの歴史哲学では、絶対弁証法的発展形態が主要な側面を成し相対弁証法的発展形態は絶対弁証法的発展形態のなかで萌芽状態にある。ヘーゲルの歴史弁証法は相対弁証法を産出しつつある絶対弁証法ではないだろうか。

注）許万元氏は、『ヘーゲルにおける現実性と概念的把握の論理（増補版）』（大月書店、1989年）で、「『中間項をとびこえてはならぬ』ということは、現実的なもののすべてに妥当する」（P 185）とし、「否定の否定」や「即自→対自→即かつ対自」、「始め→進展→終わり」などを「本質的な三段階の論理」という。また、ヘーゲル弁証法の源泉として、内在主義的弁証法、歴史主義的弁証法、総体性の弁証法をあげたうえで、ヘーゲル弁証法の唯物論的改作の成果としての「資本論の弁証法」について、「実践的立場を基礎とし、絶対的歴史主義に（『徹底的・内在的に』）立脚してうちたてられた総体性の弁証法」（カッコ内は許氏）と特徴づけ、「マルクス弁証法にあっても、歴史主義、総体主義、内在主義は相互に不可分に結びつけられてい

る」としている。そのうえで、「唯物論的内在主義としての唯物弁証法」は、「世界をそれ自身の内在的な自己原因（内的矛盾）から理解すること」、「万物をその内在的原因（内的矛盾）にもとづく自己運動性において、内在的発展において考察すること」、「一物と他物の連関を考察する場合でも、外的連関としてではなく徹底的に内的連関において考察すること」（P 259 ～ 260）と、内在主義の徹底を勧告する許氏は、ヘーゲルもマルクスも絶対弁証法論者にしてしまう。「否定の否定」の法則による「開かれた体系」だけが存立しうると許氏が強調しても、それは、時間的な進行にだけに開かれた、きわめて狭い「体系」にすぎないのではないか。

船山信一氏もまた、「ヘーゲルの歴史哲学及び論理学の地位」（『船山信一著作集』第二巻、こぶし書房、1999 年）で、「マルクスにおけるいわゆる社会の下部構造ないし生産力は、観念的なヘーゲルの時代精神を物質的にとらえたものにほかならぬ。ヘーゲルの時代精神に関連していえば、それは現実的には民族精神として活動する。これを階級によって置きかえればマルクスの歴史観が生まれるといえる。歴史の法則性・『鉄の如き必然性』はマルクス主義の重要な原理であるが、これもまたヘーゲルに由来をもっている」（P 213）として、ヘーゲルもマルクスも絶対弁証法論者に仕立てあげてしまう。

また、船山氏は、田辺元氏の「即物弁証法または絶対弁証法」について、「これらのものは、一方観念弁証法に対立し、他方唯物弁証法に対立する第三の弁証法」（同著作集、P 12）だった、「絶対弁証法又は即物弁証法を展開されるに及んでは、はっきりと東洋思想と結びつかれた」（同、P 309）、「絶対弁証法」は、「主観と客観、心と物の弁証法、つまり観念弁証法と唯物弁証法の総合。歴史と永遠の（実践的）統一」（同、P 318 ～ 319）などと解説している。また、高橋里美氏の、〝弁証法が弁証法的に非弁証法に転化したもの〟という「包越弁証法」について、「田辺博士の絶対弁証法からそれ程遠ざかっていないかもしれない」（同、P 322）と、両者の類似性についても指摘している。本論で問題にしている「絶対弁証法」は、田辺氏の「絶対弁証法」や高橋氏の「包越弁証法」とは何の関係もない。

現実の歴史をみても、「絶対的精神」の歩みとその特殊化と個別化によって、諸民族が同様の発展過程を通過するとして、論理の展開と歴史の展開を等置できないのはヘーゲルからしても当然であった。他方、相対弁証法的発展を一挙に、完全につかむこともまたできない以上、自己運動する「絶対的精神」から顕現される「世界精神」や「民族的精神」の現実の歴史のなかでの生成・消滅の把握が出発点にならざるをえない。ヘーゲルの歴史弁証法の批判は、なによりも、全体としての世界史で運動する「絶対的精神」の地上での源泉と、「絶対的精神」が活用するとされた地上での材料を発見すること、即ち、歴史の前進的諸段階を創出する変革主体と物質的諸手段の生成を明らかにすることだろう。

注）ドイツのヘーゲル研究者イリング・フェッチャーは、時代精神の源泉について次のようにいう。「芸術的、学問的、経済的及び政治的領域における様々な現象の統一的特質と連関とに対する視野をヘーゲルから受け継いだマルクスは、ヘーゲルが基本的には解答を与えないままにしているこの統一の発生的な根底を問題にしている。彼は『時代精神』を社会・経済史の現実的な諸要因の産物として把握しようとし、そのことによって現象の単なる命名以上のことまで到達するのである」（『ヘーゲル—その偉大さと限界』、P 200、座小田豊・加藤尚武訳、理想社、1978 年）。

マルクス、エンゲルスによる、この問題についての言及は枚挙にいとまがない。「歴史とは、自己の目的を追求しつつある人間の行為にほかならない」（『聖家族』）。「人間は自分自身の歴史をつくる。だが思うがままにではない。自分で選んだ環境のもとではなく、すぐ目の前にある、あたえられ、もち越されてきた環境のもとで歴史をつくるのである」（『ルイ・ボナパルトのブリュメール 18 日』）等々。

将積茂氏は、弁証法は一つのテーゼから出発して他のテーゼと対立するという理論の発展コースを批判する。さらに、弁証法的発展の出発点となるテーゼが単一というのは、せまいと指摘する科学哲学者カール・ポパーについて、「弁証法論者が現実の世界、歴史のなかに同時的に存在する多様性をみるのを忘れて、ただ一つのテーゼに一つのアンチテーゼが対立し、そこから一つのジンテーゼが生まれることばかり機械的に主張するならば、当然このポパーの批判は正当なものになってくる。そしてまた二元的対立を歴史的に把えるという思考様式の優勢によって、複数の同時存在を十分に把えるという多元的な思惟様式が背景に退くことも少なからず事実である」として、「複数の同時存在を把える多元的な思惟様式」の必要性を指摘している。このすぐあとに、ポパーと類似の批判を、すでにフォイエルバッハがヘーゲルになげつけているとして、「ヘーゲルの体系はただ従属と継起を知るのみであって、並列と共存についてはなにも知らない」（『ヘーゲル哲学の批判』、P 10、岩波文庫、1950 年。訳文はわずかに異なるが同文は、『フォイエルバッハ全集』第一巻、「ヘーゲル哲学の批判のために」、P 270、福村出版社、1974 年）を引用している。

しかし、ヘーゲルは、歴史哲学で諸民族の接触・相互作用と諸文化の統一をみているのだから、ポパーとフォイエルバッハのヘーゲル批判は誤解による決めつけであって、将積氏は、それをたしなめている（『ヘーゲル論理学と弁証法』、P 160 ～ 162、合同出版、1978 年）。ポパーは、『歴史主義の貧困』（久野収・市井三郎訳、中央公論社、1971 年）で、マルクスに対しても同様の誤解をなげつけている。

見田石介氏も、『ヘーゲル大論理学研究』（大月書店、1980 年）で、「ヘーゲル的な発展」が「萌芽からの発展」であり、「すでに内部にふくまれているものが展開してゆくという発展、このよい例は、たとえば個体発生のようなもの」（同、第一巻、P 14）と、随所で指摘していた。

確かに、フォイエルバッハは、「ヘーゲルはすべてのものをもっぱら一つの継起的な発展系列のなかで叙述している」（『フォイエルバッハ全集』第一巻、P 337）とか「ヘーゲルの方法は一般に、歴史を一つの流れとみなして、一つの英知的な作用にする」（同、P 339）と、絶対弁証法への嫌悪から弁証法一般を捨てさる。ヘーゲル哲学は、「弁証法的媒介術」「弁証法的魔術」による、「夢遊病と結合した哲学」（同第三巻、P 213 ～ 225）と手厳しい。「思弁哲学一般を改革者的に批判する方法は、ただ思弁哲学を転倒しさえすればよい」（同第二巻、P 32）、「ヘーゲルは人間を頭で立たせ、私は人間を、彼の〈地質学の上に安定している両足〉で立たせる」(同第三巻、P 299) というフォイエルバッハにつづき、マルクスが『資本論』の序文で指摘しているように、ヘーゲル哲学を唯物論的に転倒することであり、神秘化されたヘーゲル弁証法から合理的核心をつかみだすことである。

しかし、世界史で運動する「絶対的精神」の地上での源泉と、「絶対的精神」が活用する地上での材料の発見だけでは、ヘーゲル哲学の批判は終息したとはいえない。なぜなら、ヘーゲルは諸民族同士の接触・相互作用による文化の伝播、諸民族精神の統一など、実際の複雑な歴史に注目していた。

ヘーゲルは、複雑な現実の歴史を前に、諸民族の相対弁証法的発展形態としての「民族的精神」の運動をみて、その背後の世界史の絶対弁証法的発展形態としての「世界精神」の自己運動をとらえ、さらに、その根底にある「絶対的精神」の自己展開としての論理的理念・概念の弁証法を構想するにいたった、といえないだろうか。ヘーゲルは、「じつをいうと、そうしたこと (「絶対的精神」の活動が、自然と世界史としてあらわれること—引用者) を信ぜよとあらかじめ要求するのは行きすぎかもしれない。わたしがいまのべてきたことや、これからのべることは、歴史哲学にかんする事柄にしても、たんなる前提事項というだけでなく、全体をながめわたしたあとに得られる結論事項でもあって、その結論をわたしが知っているのは、わたしがすでに全体を認識しているからです。世界史が理性的にすすむこと、世界史が世界精神の理性的かつ必然的なあゆみであることは、世界史を考察することによってはじめてあきらかになる」(『講義』上巻、P 25 ~ 26) という。

ヘーゲルの歴史弁証法を唯物論的に転倒して、世界史の唯物論的な絶対弁証法的発展を解明しただけでは批判は終息しない。諸民族の上に君臨するとされた「絶対的精神」の誕生の地が諸民族が織りなす複雑な歴史にあるのだから、第一の否定ともいえる批判で達成されたヘーゲルの歴史哲学の唯物論的転倒は、それをふまえさらに第二の否定へ、ヘーゲルの歴史哲学のなかに潜在していた相対弁証法的発展形態の抽出へ向かわざるをえないといえる。

諸民族の接触・相互作用による、生産諸力や生産諸関係、文化の伝播、複合的構成の形成や新文化の創造などにみられるように、諸民族にとって、あたかも先験的に運命づけられていたかのような、「実現されるべき理念」を包含するところの「絶対的精神」に相当する、ある種の合意が生成される。交通・通信手段の発達による諸民族の相互理解と交流は、「絶対的精神」にあたる普遍的妥当性をもつ合意の形成を促進する。しかし、明らかに、「実現されるべき理念」が伝播されても、交通にとっての技術的困難や有償交換という条件、政治的障壁などの制限があるかぎり、その実現に必要な諸手段が容易に取得されるわけではないので、実現する可能性があるだけの〝かたわ〟な「理念」の状態が続くことになる。人類史のなかで、「地理上の発見」までの欧州とアメリカ大陸の関係のような相互交通がまったくない状態から大西洋を挟んだ交通の発展をみればわかるように、技術的困難は航海・航空・通信（情報交換）技術の発展によって克服できても、なお、経済的制限は残っている。しかし、他社会との持続的交通が開始されたあと、交通に諸制限がある時代、とくに生産手段や生活手段の有償交換という経済的制限がある時代は、一時的な、特殊な状態であろうから、歴史の相対弁証法的発展は、この交通の諸制限に応じた特殊な形態にならざるをえない。交通への有償交換という制限を含めすべての諸制限がとりはらわれたあと、歴史の相対弁証法的発展は一般的形態をとるようになるであろう。「実現されるべき理念」は、その実現に必要な諸手段とともに容易に伝達されるであろう。

注）大前研一氏は、『インターネット革命』（プレジデント社、1994年）で、「本来、ネットワークの本質を最もよく理解できるのはビジネスマンである。人に会い、話をし、チームの中で情報を共有し、意見を交換しあい、判断する、というプロセスそのものが『ネットワーク』であったはずだ。いま起こっている情報技術の革新は、そのプロセスを電子化するという話なのである」（同、P 3～4）、「『平成維新の会』の（パソコン通信の中の）電子町内会では、日本をどうするか、世界との関係をどうするかという話ができる。相続税の問題もPKOの問題も、今まで互いに知らなかった人同士が意外なほどに連帯感を持って、政策提言にまで話をもっていく。これは明らかに新しい手段です」（同、P 62～63）などとしていた。しかし、同時に、「システムとしてのインターネットは、今後数年間で大きな試練にさらされることになるだろう。もともと米国政府の理解と補助のもとに成り立っているので、今後これが果たして本当に世界の共有財産になるかどうかは微妙なところ」とか、料金や情報の伝送能力なども心配していた。

また、同書のなかで大前氏と対談していて、インターネットを日本に紹介し、自ら日本最初のインターネットとなった大学間コンピュータ・ネットワークをつくった村井純氏は、「インターネットは、コンピュータが少ない時代の長距離ネットワークから始まっているんです。自分は一人の研究者だけれども、世界の研究者が横につながったら―それがいちばんしたいことですよね、研究者としては―グローバルに地球人類同士で話したいことを話せたらいいな、というところからネットワーク化が始まっている」（同、P 51）、「日本でインターネット的なネットワークをつくろうと思ったときに『さて、公用語をどうしようか』と思ったんですよ。日本語を扱うコンピュータを使ったんですが、それを国際的につないだときに（日本語表記ができないという）問題が発生した」（同、P 64～65）、その後、「インターネットの上では世界中のどんな言葉もかける。こういうことが今、技術的には大体できるようになってきました」（同、P 72）とはいうものの、〝言語の壁〟はまだあるとしていた。

大前氏に「人類が誕生して初めて、国境や宗教を越えて、異文化同士の人々の間に『新しい文明』が共有されてきているのである。

それがインターネットのもたらす、最も偉大な人類への貢献なのだ」（同、P 250）といわれても、いわゆる〝言語の壁〟は解決したが、大前氏のようなインターネットを商業主義的、政治主義的に利用する者たちや、価格・料金問題や国際的・国内的な政治問題、などが大きな障害となって、インターネットの健全な発展の道を阻んでいる。今日のOS更新・セキュリティ問題やフェイクニュース問題はその最たるものであろう。大前氏のいう「新しい文明」は、階級的に歪められた、〝かたわ〟な「絶対的精神」に他ならない。

「ライプニッツのモナド論にヒントを得た唯心論世界モデル」によって「物質現象から生命現象、社会現象にいたるまでが体系化される」（『唯心論物理学の誕生』P 11、海鳴社、1998年）という物理学者で、〝時間・空間、実在、宇宙、光速不変、自由意志とは何かなどことごとく解決した〟（同書の解説）中込照明氏は、客観的観念論者としての真面目な研究から、「社会現象には唯心論的見方が有効である。例えば、国家というものが外界にあってそれを各自が認識していると考えるよりは、各自が一つの国家を想定しているから国家があるようにみえると考えるほうがより真実に近いであろう。人々が一つの国家概念を共有するようになるにはコミュニケーション（通信）が必要である。しかし、物質現象の共有は実際的コミュニケーションが行われる以前に既に生ずる。だから、唯心論を成立させようと思えば、何らかの根源的な通信機構を想定しなければならない」（同書、P 95 ～ 96）と核心をついている。中込氏は、「対応」したり、「通信」しあう「モナド」から「物質的モナド」や「精神作用をもつ高次モナド」が生成されるという「モナドの進化論」を論じたあと、「インターネット・ワールドはモナド構造の模倣であり、強化であるということに思い至る」（同書、P 153）と本書をしめくくっている。中込氏は「高次モナド」による「絶対的精神」の生産と伝達の方法を発見したことになる⁉　ヘーゲル哲学では、中込氏のいう「根源的な通信機構」は、「真理の洞察」や「絶対的精神の啓示・顕現」という形で考えられていて、氏はその〝弱点〟をつく。しかし、中込氏のモナド間通信も含め、いずれの「根源的な通信機構」も科学的妥当性を欠くものといわざるをえない。

世界のすべての社会・地域から階級制度が一掃され、人種主義的・

民族主義的等の偏見が克服され、国家も死滅したあと、交通・通信機能のいっそうの高度化のもとで、一言でいえば、交通にかかわる諸制限が撤廃されたあと、その時々で、「実現されるべき理念」が次々と形成され、交通・通信手段によりその実現に必要な諸手段とともに伝播され、他社会によって選択的に受容されるときがくるだろう。「絶対的精神」は、もはや天から啓示されることなく、地上で生成され、地上的手段の交通・通信に媒介され他社会に伝播される。歴史の相対弁証法的発展の一般的形態が日常化するようになり、新しい普遍が現れる。最終的真理とされる「絶対的精神」に到達しないが、ますますそれに接近していく。現実的な基盤のうえで、ヘーゲルの「絶対的精神」の活動が、形式のうえで酷似しているにすぎないが、復活すると考えられる。

ヘーゲルの歴史哲学の第一の否定は、歴史の唯物論的な絶対弁証法的発展形態への移行であったと考えられ、第二の否定は、唯物論に立脚した絶対弁証法的発展形態から特殊および一般的な相対弁証法的発展形態、とくに一般的形態への移行であり、ヘーゲルの歴史弁証法の唯物論的基礎のうえでの〝復活〟ともいえるのであろう。

歴史の弁証法は、絶対弁証法的形態から特殊相対弁証法的形態、さらに一般相対弁証法形態へ、その形態を発展させていく。特殊相対弁証法的形態の段階では、交通の経済的制限のため、複合的構成の形成が不可避であったが、一般相対弁証法の段階では、交通の諸制限が一掃され、諸社会も諸個人も自由な発展が許されるようになる。これが、歴史発展の弁証法的形態一般の否定の始まりともなって、歴史発展の形態は、さらに、弁証法の各形態を含む非弁証法的発展形態に前進するのであろうか。

注）井尻正二氏は、『弁証法の始元の分析』（大月書店、1998年）で、まず、ヘーゲル哲学の特徴を「円環的弁証法＝展開的弁証法＝個体発生的弁証法が、その哲学の大前提になっている」（同、Ｐ３）とし、その弁証法からの、「或る物に必然的に内在する変異性とよばれる偶然性と、発展の段階（階層）ごとの自己発展の法則性によってみちびきだされる」「発展的弁証法」（同、Ｐ 96）への前進を指摘し、それが「本質と限界」になっているとしていた。

また、「弁証法的思惟の物質的基礎」に、脳を含む「人体の左右の対立性」（同、Ｐ 87）と、階級社会という「一万年続いた社会的対立条件」（同、Ｐ 90）をあげ、「われわれはまず形式論理学の勉強にはじまり、その限界を見定め、つぎにヘーゲル的展開弁証法に進むとともに、その呪縛を脱して、発展的に進学しなくてはならない」とのべ、〝重力からの解放〟や階級社会からの解放をふまえ、「さらに、これまでの弁証法至上主義にかわる、新しい哲学の体系が産声をあげるであろう」、「未来の人間がいわば宇宙人になる日を夢想して、もっと自由に思考しなくてはならない」と「自由な思惟」（同、Ｐ 98～ 99）の重要性に言及している。

2、相対弁証法と相対性理論、及び自然の相対弁証法

エンゲルスは、『フォイエルバッハ論』で「自然科学の領域においてにしろ画期的な発見がなされるごとに、唯物論はその形態をかえなければならない」(同、P 39、新日本出版社、2006 年)とし、機械論的な唯物論の弁証法的唯物論への発展を解明した。レーニンは、「自然科学の領域においてにしろ」のあとに「人類の歴史についてはいうまでもない」(国民文庫『唯物論と経験批判論 2』、P 95、大月書店、1978 年)と追記した。またエンゲルスは同書で、細胞、エネルギー転化、進化論の「三つの大発見」をあげ、「われわれの時代にとって満足のいくような『自然の体系』をうるためには、自然研究の諸成果を、ただ弁証法的に…とらえさえすればよい」(同、P 77)とも書いた。

マルクス、エンゲルス以後の「人類の歴史」についての「画期的な発見」による「唯物論」の発展方向の一つについては、すでにみてきた。ここでは自然科学の領域においての「画期的な発見」と相対弁証法の関連についてみてゆきたい。

歴史の弁証法は、自己完結的社会の絶対弁証法的発展から、交通の発達にともなう諸社会の同時併存の〝発見〟と、そのもとで、交通を介しての相互作用により相対弁証法的発展に移行する。さらに、相対弁証法的発展は、交通に制限がある場合は特殊的形態を示し、交通に制限がない場合は一般的形態をとるだろう。他方、物理学の相対性理論は、ローレンツ変換のもとの不変式論である特殊相対性理論と、一般変換のもとの不変式論の一般相対性理論とで構成されている。

①絶対空間・絶対時間と四次元時空間(多様体)

特殊相対性理論は、どの慣性系においても光速不変と、運動方程式が同形となる特殊相対性を指導原理として形成された。数学的にいえば、マクスウェルの電磁気学から導出されたローレンツ変換式のもとの不変式論であって、ミンコフスキー空間の幾何学（ユークリッド幾何学）ともいえる。ローレンツ変換式をみれば明らかなように、ある慣性系の空間座標と時間座標とを他の慣性系からみて分離することができず、その慣性系に固有の空間と時間が存在する。一般相対性理論は、慣性系や加速度系を含む一般座標系での重力質量と慣性質量の等価原理と、運動方程式が同形となる一般相対性原理をふまえて導出される。一般座標変換式のもとの不変式論であり、リーマン幾何学（非ユークリッド幾何学）である。各座標系に固有な空間と時間が存在するとする点も、ある座標系に一断面をあらわす、一つの四次元多様体が存在するという点でも特殊相対性理論とかわらない。一方、ニュートン力学の運動方程式や万有引力の法則などは、ガリレオ変換には不変であっても、ローレンツ変換には不変ではない。ニュートン力学では、各慣性系にとって固有な空間や時間は存在せず、いかなる慣性系にとっても、完全に分離される一つの空間と一つの時間という絶対空間と絶対時間を前提している。四次元時空間にしろ絶対空間・絶対時間にしろ、一つの自己完結系的な物理実体（多様体）を対象にしていて、座標系間の相互作用によってそれらがつくられたわけではなく、物理量の座標系間の変換だけを問題にするのであるから、そこでは絶対弁証法が妥当するであろう。

とはいえ、慣性系や加速度系など、座標系を区別して理論を構築する流れは、社会の存在諸形態をふまえて、それらの発展形態を明らかにする相対弁証法的発展の理論を構築する流れと同じである。また、普遍と特殊の連関を考えるうえで、四次元時空間と絶対空間・絶対時間の関係は重要である。前者が普遍性を獲得し、それまで「普遍」とされていた後者は「特殊」に〝格落ち〟する。自己完結諸社会の林立状態から相互作用しあう諸社会で構成される交通圏への移行に際し、「普遍」であった自己完結社会の発展形態が「特殊」な形態に〝格落ち〟するのと似ている。

②ニュートン力学、特殊及び一般相対性理論と、歴史の絶対弁証法的発展、相対弁証法的発展の特殊及び一般形態

一般相対性理論で、時空に曲率を発生させる質量・エネルギー・運動量をゼロに近づけると、リーマン空間はミンコフスキー空間に接近し、特殊相対性理論およびニュートンの万有引力の法則が成立するようになり、さらに特殊相対性理論で光速を無限大にするとニュートンの運動方程式が成立するようになる。これと似たことが歴史の絶対弁証法的発展、相対弁証法的発展の特殊及び一般形態の間でも見られる。相対弁証法的発展の一般形態で、交通に有償という制限を加えると特殊形態になり、それをゼロにすると絶対弁証法的発展になる。

③非ユークリッド幾何学と歴史の非五段階発展

ユークリッド幾何学は平面上の幾何学であり、平行線の定理や、三角形の内角の和が180度などの法則が成り立つ。非ユークリッド幾何学は曲面上の幾何学であり、平行線定理は成り立たず、三角形の内角の和は180度ではない。曲面のある点の接平面上でユークリッド幾何学は成り立つ。だから、非ユークリッド幾何学はユークリッド幾何学

を含むより一般的な幾何学になっている。歴史の「非五段階発展」とは、原始共同体―奴隷制―封建制―資本主義―社会主義・共産主義という歴史の前進的諸時代をあらわす「五段階発展」を、否定し排除するのではない。逆に、歴史の「非五段階発展」は、社会間の交通が存在しないときは、社会間の相互作用はなく、大ざっぱにいって「五段階発展」として現れるから、「非五段階発展」は「五段階発展」を含み、より一般的な歴史発展を現す形態になる。歴史の「五段階発展」は「非五段階発展」の土台であり千変万化を測る尺度ともいえる。

④自然の相対弁証法

相対弁証法は、同一の運動形態に属する複数の過程の同時併存と多様な相互作用によって現れる。人間の歴史で現れる相対弁証法的発展はすでに述べた。ここでは、力学･物理学的運動形態、化学的運動形態、生物学的運動形態の場合を考察する。『理化学辞典』（第四版、岩波書店、1987年）、『化学公式』（共立出版、1984年）、『科学の事典』（第三版、岩波書店、1986年）、『科学大辞典』（第二版、丸善、2005年）、『生態学事典』（第一版、共立出版、2003年）、『天文学大事典』（初版、地人書館、2007年）、『生物学辞典』（第四版、岩波書店、1996年）などを参照した。

(1) 力学・物理学的運動形態

①二つの剛体球の弾性衝突では、各々の内的矛盾と外的矛盾が結合され、進路と速度が変わる。二つの質量比が極めて大きいと大きい球の進路と速度はほとんど変わらない。衝突の前後で運動量は保存される。

②重力相互作用、電磁相互作用、強い相互作用、弱い相互作用の４つ

の相互作用への進化と大統一理論

電弱統一理論につづき、強い力・電磁力・弱い力の統一理論が完成し、3つの相互作用に関する各理論の普遍性は失われた。重力に関する理論は普遍性を保っている。始源的相互作用から最初に重力が分離し次に強い力、弱い力、電磁力が分離したとされている。大統一理論によって、4つの相互作用の相互関係が明らかにされるとともに、3つの相互作用を統一した理論も、重力の理論の普遍性も失われるだろう。

③素粒子の衝突（散乱）、原子核反応

剛体球どうしの弾性衝突では形質に変化はなく、速度と運動量だけが変化する。しかし、素粒子同士の衝突や原子核反応などでは、形質に変化が生じる。陽電子ｅ＋と電子ｅ－の衝突では、Ｚ、Ｗボゾンを介して光子γが発生する。$e^{+}+e^{-}\rightarrow Z\rightarrow W^{+}+W^{-}\rightarrow \gamma$。３個のクォークが結合している陽子ｐと反陽子ｐの衝突では、アップｕ、ダウンｄ、トップｔとして、グルーオンｇを介して、ｐ（ｕｕｄ）＋反ｐ（反ｕ反ｕ反ｄ）→ｇ→ｔ＋反ｔ、ｕ＋反ｕ→ｇ→ｔ＋反ｔ、ｄ＋反ｄ→ｇ→ｔ＋反ｔとなる。これは、1995年、米フェルミ国立研究所のデバトロン加速器でトップクォークｔが発見されたときの反応式である。粒子の衝突から、新粒子が生成され散乱されるという過程がむしろ一般的になるといえる。

④物質の三態

「固体—液体—気体」の相転移は条件的である。例えば、純粋な水の場合、確かに1気圧のもとで「氷」は0℃で液体の水になり、100℃で蒸気になるが、気圧がきわめて低い場合には、固体の氷が直接に気体に変わる。タテ軸に圧力、ヨコ軸に温度をとった相転移図をつくれば、その物質の「固体—液体—気体」や、「固体—気体」と変化する圧力と温度の領域がわかる。1物質の「固体—液体—気体」は絶対的な相転移ではない。

⑤恒星の進化と連星系―単独星と連星

近接連星系の場合は、一方の星から他方の星に物質が移動するのが特徴である。太陽のような単独星の場合、星間ガス・塵の凝縮―原始星―主系列星―巨星―星の死・星間ガス・塵の放出という過程をたどる。連星系では、このような過程は星同士の相互作用によって〝破壊〟され、複雑化される。星のエネルギー源の核融合反応も水素燃焼、ヘリウム燃焼とつづき鉄Feの生成でおわる過程が変形していると思われる。また、銀河系内に連星系が多数あり、単独星の進化過程が一般的で連星系の方は特殊であるとはいえない。むしろ、原始星から連星系が形成される方がより自然な運動であり、連星系の進化過程とその理論は、単独星の進化過程と理論を含むより普遍的な性格をもつだろう。

⑥銀河進化と銀河（間）相互作用

銀河進化を研究するモデルとして、1つの銀河を「閉じた系」として扱い、その系のなかでガスがある割合で星になる（星形成率）とし、誕生する星の質量関数を仮定、いつどのような星がどれだけ生まれるか計算、生まれたそれぞれの星の進化過程は既知なので、スペクトルを合成し、任意の宇宙年齢における銀河の光度、スペクトルを再現して、それと観測と比較し、初期の仮定を調整することにより、進化過程を解明することができる。また、1つの銀河を「閉じた系」ではなく、「外部から銀河間物質が流入してくる系」として扱う研究モデルがある。銀河（間）相互作用とは、銀河の周囲の環境との間に生じる相互作用や、複数の銀河が接触（星雲衝突）したときに生じる相互作用のこと。銀河は、宇宙膨張に乗って運動しているので、多くの銀河は互いに離れつつある。しかし、銀河自身の特異運動も持っているので、接近（銀河遭遇）することがある。接近した銀河ペアの多くは特異な形態をもつ（特異銀河）。2つの銀河本体が、ほどけた腕（ブリッジ）で結ばれた銀河、２つの銀河本体が接合し２本の腕が張りだしている（テイル）銀河などがある。1980年代から銀河のさまざまな活動と銀河間相互作用との因果関係がクローズアップされてきたという。従来、銀河間相互作用は、「完成した」銀河間について考えられることが多かったが、現在は、広い意味でのさまざまな相互作用は、銀河進化の中心的メカニズムといえる、というところまで研究はすすんでいる（2007年）。太陽系を含むわれわれの銀河系や、隣接するアンドロメダ銀河のような「単独」銀河や、その進化と理論が一般的なのではなく、銀河間相互作用にもとづく銀河進化と銀河間相互作用をふまえた進化理論の方がより一般的なのである、といえる。

⑦大陸同士の衝突、集合、分裂

大陸移動について、プレートテクトニクス理論があり、地質、化石、生物分布、古気候からその正しさが検証されてきている。プレートの運動で、プレート同士のすれちがいによるトランスホーム断層の発生、ぶつかり合いによるヒマラヤ山脈や弧状列島、海溝の形成、互いの分離による太平洋の海底の海嶺の形成などが説明されている。プレート運動の原動力について、マントル対流説を含め、充分解明されていない。現在の地理は大陸形成運動（造山運動）と大陸移動の両面から解明する必要があるという。

(2) 化学的運動形態

①化学反応

純水な水の中での化学物質の原子や分子のイオンをA^+、B^-、C^+、D^-とする。単独の化学反応の場合、化合は例えば、$A^+ + B^- \rightarrow AB$、$C^+ + D^- \rightarrow CD$、分離は、$AB \rightarrow A^+ + B^-$、$CD \rightarrow C^+ + D^-$。二つの反応が同時併存し影響しあう場合、$A^+ + B^- + C^+ + D^- \rightarrow AB + AD$

＋ＣＤ＋ＣＢと四つの化学物質が生成される。Ａ、Ｂの量がＣ、Ｄの量に比べはるかに少ない場合は、C^{+} ＋ D^{-}→ＣＤの反応が、大勢をしめる。

②結合—分子間力、ファンデル･ワールス力、水素結合、イオン結合、共有結合

ファンデル・ワールス力とは、不対電子をもたない分子間に働く引力で、液体や凝集、接着などの本質的な力。ファンデル・ワールス錯体とは、電荷をもたない中性の原子または分子２個以上が、遠距離まで働くファンデル・ワールス力によって結合している集合体。３個以上の分子や原子からなるのがファンデル･ワールス錯体。分子性結晶は、ファンデル･ワールス錯体の極限とみることができる。ファンデル･ワールス錯体の方が一般的で、結晶の方が特殊だという。

③量子力学と量子化学—原子と分子

Ａ）水素原子や水素類似原子（He^{+}など）の場合—原子核１個、電子１個の場合。Ｂ）Ｎ電子系の場合—原子核１個、電子Ｎ個の場合、電子間相互作用を考慮にいれた波動関数を厳密に求めることは不可能であり、近似的波動関数（スレーター軌道）が用いられている。電子間相互作用がなければ、Ｂ）は、Ａ）にもどる。Ｂ）はＡ）と比べ、より一般的になっている。Ｃ)分子の場合—原子核が複数個､電子が複数個の場合、Ｃ）は、Ｂ）よりさらに一般的になっている。電子間と核間の相互作用を捨像すれば、Ａ）にもどる。量子化学は量子力学を応用し、その数式には相互作用項が含まれ、複雑になっている。

(3) 生物学的運動形態

①細胞の接着による遺伝子のやりとり、細胞融合と新種の出現—細胞と細胞融合

植物の細胞同士の接着と細胞間の膜構造消失（細胞融合）で新しい細胞ができ、細胞分裂を繰り返すと雑種細胞がつくられ新種の植物個体を人工的につくることが可能になる。自分の花粉で実を結ばせる（自殖性）と、品種が純化していく（純系選択）が、〝近親結婚〟の害で弱化していく。これにたいし、他の個体の花粉で実を結ばせる（他殖性）と、強く優秀な雑種（強勢）ができることがある（系統育種）。

ニンジンの発生・成長には3つのパターンがある。1、種子—発芽—成体—開花・結実—種子。2、挿し木・挿し葉（栄養生殖）によって、成体—開花・結実—種子。3、種子—発芽—根の切片—茎頂培養—不定胚（クローン）—成体—開花・結実—種子。「種子—発芽—成体—開花・結実—種子」という発生・成長過程が絶対的ではないことがわかる。

生物は物質代謝（摂取と排出）と自己増殖を繰り返す。摂取は非自己の自己化であり、排出は自己の非自己化に他ならない。（「交通」は、一方では「自己の他有化」であり、他方では、「他者の自有化」であったことが思いだされよう）

②遺伝子相互作用など

複数の遺伝子が効果を及ぼしあって表現型が決まる（遺伝子相互作用）。ゲノムに外来の遺伝子を人為的に導入し個体をかえることができる（遺伝子導入）。DNA の複製段階で、複製を誤り、親と違った塩基配列をもつことがある（遺伝子の突然変異）。遺伝子が、他のタイプの対立遺伝子に変化することで個体間変異の多様性が生じることもある（遺伝子変換）。異なる繁殖集団から、個体または配偶子が流入することで個体が変化する（遺伝子流動）。対立遺伝子の割合が偶然に変動することで個体が変化する（遺伝子浮動）。

③系統発生と個体発生

系統発生とは、生物種族が成立または絶滅までにたどってきた形態的および遺伝的変化の進化的発達のことで、個体発生とは胚の発達のこと。「個体発生は系統発生の短縮された、かつ急速な反復」（生物発生原則、ヘッケル、1866年）といわれてきた。原生動物、魚類、両生類、爬虫類、鳥類、哺乳類などの種族の系統発生系列を種X―種Y―種Zとし、種Xの胚x、種Yの胚y、種Zの胚zとすると、個体発生系列は、x―y―zということになる。しかし、個体発生の種々な変化により系統発生が生じる過程が研究されるにしたがい、多くの批判をうけるようになったという。相互に影響をおよぼしあう外界と種、種と種、種と胚、胚の形質変化など、複雑な相互作用にもとづく種と胚の進化の〝平均的〟過程か、あるいは可能性がより高い進化過程が「生物発生原則」を満たす典型的な過程なのかもしれない。いずれにせよ、「生物発生原則」にもとづく進化過程と理論は一般性を失ったことは明らかで、より一般的な過程や理論にとって代えられねばならないだろうという。

④植物の植生の遷移

世界の植生は、タテ軸に年平均気温（℃）をとり、ヨコ軸に平均年降水量（立方メートル）をとると、植生の遷移図ができる。植生の変化過程はどれかに固定されたものではなく、気温や降水量などで多彩に変化する。例えば水が温度によって「固体―液体―気体」と変化するのが一般的ではなく、圧力を含めた物質の相転移を想起させる。

⑤動物の群れ、集まり、集団の相互作用

動物同士の共同的関係を群れといい、一時的な関係を集まりといい、結果的な関係を集団という。動物が発達した社会を持つと、群集のなかでのその種の位置に影響をあたえるので、動物にとって社会が持つ意味を理解するには、種内関係（種内競争）だけでなく、群集のなかでの位置―すなわち、種間競争、食う者・食われる者の相互作用―を究明する必要があるという。ガウゼ（ソ連）は種内競争、種間競争、種の食う・食われる関係を研究し、ガウゼの法則「生態の似た2種は、同じところにすめない」(競争排除則、1934年)を唱えたが、その有効性とともに限界性も明らかになってきているという(2003年)。

⑥人種と混血

アフリカ東部地域で誕生した人類は6万年前に移動を開始し地球の各所に分散した。ヨーロッパ方面にむかう集団や、インドと東南アジアを経て、オーストラリア大陸、中国、日本、シベリアへ行き、凍結したベーリング海を渡り南アメリカ大陸まで到達した。こうして、人類は白色人種(コーカソイド)、黒色人種(ニグロイド)、黄色人種(モンゴロイド)などの人種に分裂した。皮膚、体毛、目の虹彩は、太陽光が関係しているといわれ、メラニンが多いほど黒く、少ないと皮膚は白く、体毛は金色、虹彩は緑色、茶色、青色になる。

人類移動の〝ビックバン〟と隔絶的なそれぞれの進化は、開拓や交易、冒険や戦争、帝国主義と植民地化、あるいはグローバル化などにより混血と文化の融合に向かっている。人種の消滅による単一の地球人化に6万年は必要ないだろう。

注)分子人類学から興味深い知見を紹介したい。篠田謙一著『岩波現代全書　DNAで語る　日本人起源論』(2015年、岩波書店)では、「アフリカ人のミトコンドリアDNA全配列の系統解析から、現代人のもつミトコンドリアDNAを六万年ほど前の出アフリカの時期までさかのぼると、およそ四〇の系統になることがわかっている。…しかし、そのなかから出アフリカを成し遂げたのは、たった二つの系統だけなのです。このことから、出アフリカを成し遂げた人びとの数はせいぜい数百から数千人だったと計算されています。…あるいは複数の集団が出アフリカを成し遂げたとしても、現代の私たちに遺伝子を伝えたものは、そのうちの一つだったということになります」(P59～60)と現生人類がアフリカで誕生し、アフリカに生きる人類と

アフリカを後にした人類と分離したこと、出アフリカを成し遂げたのは「せいぜい数百人から数千人」という数字をあげ、当時での持続可能な「社会」に向かう最少単位と考えられる。

「アフリカを出た祖先はすでにその時点でホモ・サピエンスとして完成していたということと、現在、世界に六〇億以上の人口を持つ私たち、六億年前に出アフリカを成し遂げた人びとの子孫は、ごくわずかな祖先から派生したということです。このことは、世界に広がる人類はすべて同じ体格と知能をもった人たちの子孫なのであり、世界中のさまざまな文化は同じ能力をもった人たちによって創造されたことを意味します。…人間社会の多様性の源は、知的な能力の差ではなく、その社会が何を優先するのか、環境にどのように適応するかにあったのです。…DNA 分析の結果は、世界中のあらゆる文化を全人類の知的な遺産として捉え、自らとは異なる文化にも等しく敬意を払わなければならないことの生物学的な根拠をしめしています」（P 62）として、世界中への拡散と差異化にもかかわらず、「体格と知能」のうえでの根源的同一性を強調している。

「現在は、この一五世紀に始まった人類移動の時代（大航海時代―引用者）に位置づけられるでしょう。それまでの時代は、固有の地域集団が形成される方向に進んでいたのに対し、これ以降は、人類の遺伝的な構成は総体として均一化の方向に向かうことになりました。しばらくは国家の枠組みがその流れを阻害する役割を果たしましたが、交通や通信手段の発達と、地球規模での経済活動はその境界をなし崩し的に取り払っています。…そのなかで、地域集団間の遺伝的な特徴も解消される方向に進むことは間違いありません。その解消の仕方、地域間の地理的・歴史的な結びつきの強弱によって、さまざまに異なる新たな地域の遺伝的な構成が作られていくことになると思いますが、長いスパンでは遺伝的にフラットな世界ができあがっていくことになると思います」（P 219 ～ 220）と単一の遺伝的世界を展望している。

(4) 人間の歴史的運動形態

歴史発展の本源的不均等に端を発する交通の開始と、その交通による複合的な経済的社会構成体の形成と純化、あるいは崩壊と新しい経済的社会構成体の形成が起こること。交通がない場合の歴史の絶対弁証法的発展と、交通が存在する場合の相対弁証法的発展―有償交通の場合の特殊形態、無償交通の場合の一般的形態についてはすでに述べた。

(5) 小括

自然の各運動形態で、それ自体の運動と同一の運動形態に属する複数の運動同士の間で働く相互作用と、その研究の現状などを見てきた。そして、「閉じた系」の運動の研究から相互作用のある状態、すなわち「開放系」の運動の研究へ移っている。発生―発展―消滅の１過程（タテ）だけでなく、諸過程間の相互作用（ヨコ）も考慮しなければならない。「閉じた系」の運動と、相互作用のある場合の「開放系」の運動とは、大きく異なり、相互作用のある「開放系」の運動は、「閉じた系」の運動とは異質であるようにみえる。相互作用のある場合の「開放系」の運動と理論の方が、「閉じた系」の運動と理論より、むしろ一般的で、普遍性を帯びている。相互作用がある場合の「開放系」の運動と理論は、「閉じた系」の運動と理論を含む。逆にいえば、相互作用に関する諸条件を捨象すれば、「開放系」の理論は「閉じた系」の理論にもどる。もともとの研究目的は相互作用のある複雑な運動の解明であった―などがわかった。さらに物理学的運動形態と化学的運動形態、そしてとくに生物学的運動形態と人間の歴史的運動形態との相互作用など異なる運動形態間の相互作用の解明も重要になっている。

［V］新しい史的唯物論の定式へ

①歴史の非五段階発展と相対弁証法的歴史観

〔Ⅰ〕で「定式」の成立妥当領域、「先進」と「後進」社会の発展の質的相違、相対弁証法の生成について推論を提起し、〔Ⅱ〕広義の経済理論、〔Ⅲ〕歴史理論、〔Ⅳ〕自然・世界観の三分野から考察してきた。先行研究と最新研究の成果と難点は紙幅の関係でほとんど紹介できなかったが、これらを踏まえて総括してみたい。

まず、マルクス『経済学批判要綱』への「序説」のとくに「（4）生産。生産諸手段と生産諸関係。生産諸関係と交易諸関係。生産諸関係と交易諸関係とにたいする関係での国家諸形態と意識諸形態。法的諸関係。家族諸関係」と「定式」との関係をみておきたい。

「ここで触れなければならない、そして忘れられてはならない諸点に関連した注意書き」（「『経済学批判』への序言・序説」、P 78 ～ 80、宮川彰訳、新日本出版社、2010 年）として8点があげられている。

そのうち、第1点目、「軍隊のなかで、賃労働、機械類などのような経済的諸関係が、ブルジョア社会内部でよりももっと早く発展したかのその仕方。生産力と交易諸関係との関係も軍隊のなかでは明瞭である」—兵士個人が携帯する武器は個人の練度の高低で攻撃力が増すが、兵士集団の操作による重火器類は、一人の指揮官による規則的分業的な動作による以外に攻撃力を発揮できない。しかも、そのような重火器類は交易によって比較的に容易に他の軍隊から入手しうるし、兵士にたいする給与支払いなど、賃労働制がブルジョア社会以前から存在していたかのようにみえるという。第3点目、「第2次的なものと第3次的なもの。一般に、派生的な、外来的な、本源的でない生産諸関係。この場合のさまざまな国際的関係の影響」—本源的生産諸関係と、ある国際関係の影響による外来的生産諸関係の同時存在に言及しているが、両者の複合化には言及していない。一方、「定式」では交易諸関係など国際諸関係を捨象しているのが特徴になっている。第6点目と第7点目、「物質的生産の発展と芸術の発展の不均等性、生産諸関係は法的諸関係とくらべて不均等な発展をとげる。そのさい、偶然性や自由の役割を認めなければならない。交通通信手段の影響」—不均等発展には「偶然性や自由の役割」に目をつぶることはできないが交通諸手段と交通諸関係も考慮にいれよと指摘している。「定式」にはこの点もない。第8点目、「出発点は種族、人種など、主体的、および客体的自然的規定性である」—種族・人種などの肉体的・精神的状態と、おかれた自然環境によって条件づけられて歴史はすすむという。これは、社会の存在諸形態につながる指摘として重要であろう。

最後に、「生産諸関係と交易諸関係」、「生産諸関係と交易諸関係とにたいする関係での国家諸形態と意識諸形態」については柱立てがあるのみで、「序説」には詳細な論及はなく、「定式」には関連する叙述自体がない。前者は複合的生産諸関係の生成との関連があり、後者は複合的な経済的社会構成体の形成に関連するであろう。

つぎにマルクスの「定式」にたいし試論を提示したい。「定式」はすでに〔Ⅰ〕、〔Ⅲ〕で①～⑥に分けておいた。

第一、存在諸形態。

まず、当該の社会、地域、国などがどのような存在形態にあるかが重要であって、孤立的な状態にあるのか、開放的なのかによって歴史の推移は大きく異なる。また、孤立的な場合、自己完結的な孤立なのか、あるいは先端的突出部という状態にある孤立なのか、さらに開放的な状態にある場合には、おもに生産諸力の面で先進的なのか後進的（発展途上的）なのかによって歴史の推移は異なるだろう。

第二、交通と交通諸形態、交通諸関係。

交通とは、ある社会、地域、国などによる他の社会、地域、国などにたいする行為の総体とする。

交通形態の種類、交通の内容と量、交通の主体（個人、私的集団、公的集団）、交通の自由度（自律、他者による強制）、交通の持続性、規定的な交通形態、交通手段が重要になる。交通形態の種類は、突発的な進入、狩猟、移住、戦争、物資移動、二国間貿易、国際貿易、さらには文化・情報交流までありうる。交通の持続性からみれば、狩猟時代や農耕時代、工業生産時代をつうじて、社会、地域、国などの間の経済的対外交易ほど長期にわたるものはない。また、必須性からしても、生活必需品や、欲望をかきたてる特産品、希少品、奢侈品をふくむ生産物などの対外交易が、規定的な交通形態であろう。

その社会や地域、国が、他から孤立しているのではなく多少とも開放的であれば、経済的、政治的、軍事的、社会的、文化・情報的、科学・技術的な、なんらかの交通諸関係をとり結び、各社会、地域、国が一定の自律性を保持した交通圏を形成したり、その自律性を喪失した帝国を形成することもある。交通諸関係が、相互選択的か、強制し強制された関係（植民地化、従属化）なのかは、交通の主体間の主従関係をみるうえで重要になる。対外交易が規定的交通形態であれば交易諸関係が規定的交通関係になるだろう。ただし、軍事的関係だけの場合などもありえる。

また、二国間条約など二つの国との交通諸関係の形成から、国際条約など多数の社会、地域、国などとの交通諸関係の構築まで多様であるが、3つ以上の社会、地域、国などとの交通諸関係からは、特定の社会、地域、国などに選択性が現れる。

第三、交通諸関係と生産諸手段（諸力）―生産諸手段（諸力）の伝播。

交通によってもたらされるものは、生活諸手段や生産諸手段（労働手段、労働対象）、自然科学や技術に関する理論、経済や政治の制度と理論、哲学や宗教から、文化や芸術・芸能などとともに、それらを担う人材にもおよぶ。強制された交通諸関係（植民地化、従属化）では暴力もともない伝播がおこなわれる。暴力的であろうと、非暴力的であろうと、交通は歴史発展の、対立の激化による促進とともに、対立の緩和による停滞、逆行をももたらすという二面的作用をもつ。

第四、交通諸関係と生産諸関係―生産諸関係の伝播（この「第四」までが「定式」①に相当する。以下同）

社会や地域、国の内的生産構造を現すのが生産諸関係であるのに対し、それらの間の外的な、他者との関係を現すのが交通諸関係である。一方で、諸社会が一地域へ、諸地域が一国へ、より大きな帝国に統合される場合には、交通諸関係のいくらかは生産諸関係に転化し、他方で、帝国がより小さい国々に、一国が諸地域、諸社会へ解体される場合には、生産諸関係のいくらかは交通諸関係にもどる。資本主義社会から自律的な前資本主義社会に、集団的労働によってしか充用されえない機械設備が移転される場合、その集団的労働手段が強制する労働力編成と労働方法の移植を始点に、資本主義的生産諸関係が伝播する。植民地化、従属化の場合は、宗主国や覇権国の生産諸関係がもちこまれもする。

第五、生産諸関係・交通諸関係と生産諸手段（諸力）—土台（「定式」②）。

一定の交通諸関係のもとで移転された生産諸力と既存の生産諸力の結合生産諸力に照応する、外来の生産諸関係と既存の生産諸関係が複合化した、独自の生産諸関係が形成され、これが新しい土台になる。

第六、複合化した生産諸関係を土台とした複合的な経済的社会構成体、生産諸関係と交通諸関係とにたいする関係での国家諸形態と意識諸形態—上部構造（「定式」②）。

新しい土台の上に、複合的な諸階級間の階級闘争にもとづく法的・政治的な上部構造がつくられ、折衷的な社会的諸意識形態が生成する。

第七、生産・交通諸関係と生産諸力の矛盾の重畳と革命（「定式」③）。

複合的な経済的社会構成体は、諸矛盾が重畳化している。交通諸関係による内外対立を基礎にした、他社会に起源をもつ外来的矛盾と、内に起源をもつ自生的な矛盾が有機的に結合した複合的生産諸関係と結合的生産諸力との矛盾がある。新興階級と旧来階級との対立および支配階級と被支配階級との対立が激化する。複合的な経済的社会構成体は一挙に革命的に変革されるか、内蔵された歪みが徐々に解消されるかする。

第八、主意主義革命、理念革命の誤り（「定式④」）。

前項のような革命は、ロシア革命のように、強い意思で結束した組織による革命、あるいは情報化がもたらす「理念的運動」による革命（ウエーバー）であるようにみえる。しかしこの革命は、交易によりもたらされた生産諸力をふくむ結合的生産諸力と、複合的な生産諸関係とのあいだに存在する衝突から解明されなければならない。

第九、交易により先進からの肯定的諸成果の入手が可能な場合（「定式」⑤）。

一つの社会構成体が、孤立的存在形態もしくは自己完結的存在形態、あるいは先端的突出部という存在形態であるならば、「すべての生産諸力がそのなかではもう発展の余地がないほどに発展しきらないうちは、けっして没落することはなく、また、新しいさらに高度の生産諸関係は、その物質的な存在諸条件が古い社会の胎内で孵化しきらないうちは、けっして古いものにとって代わることはない」（定式）。しかし、先端的突出部を除く社会・地域・国などが開放的存在形態にあるならば、交通により先進から科学・技術的、経済的、政治的、社会的、文化的な成果などの「肯定的諸成果」を入手できるのであれば、あるいは、おしつけられても、移行と発展に必要な諸条件を満たせば、「古いものにとって代わること」は可能になるだろう。逆に、自ら閉鎖し交通を遮断してしまえば不可能となろう。

第十、複合的な経済的社会構成体の発展段階（「定式」⑥）。

そのことから、複合的な経済的社会構成体の「進歩していく諸時期」としては、原始共同体―奴隷制―封建制―資本主義―社会主義・共産主義という五段階の継起ではなく、特定の〝発展段階飛ばし〟がありうる非五段階発展になる。とはいえ五段階発展は非五段階発展に含まれていて、先端的突出部という存在形態をもつ社会・地域・国などでの相次ぐ歴史的諸時代として人類史の実在的な標準ともなる。前項のように、資本主義の全面開花―ブルジョア階級による支配の確立･展開･危機・崩壊（資本主義的有為転変）―を通過せずに、社会主義・共産主義にいたるという、非資本主義的な発展の可能性もある。

第十一、有償経済から無償経済への移行と一般的形態の相対弁証法的発展（「定式」⑥）。

他社会、地域、国の生産物を入手する場合、必ず反対給付を必要とする有償経済から、有償経済を前提した贈与とは異質の、無償経済が発生する。社会主義・共産主義社会の世界的展開と深化にともない、有償経済が無償経済にとって代わるであろう。このような条件のもとでは、一社会・地域が創造した先進的な科学・技術や先進的諸制度と諸理論が、他の社会・地域が意欲すれば、容易にその社会・地域に伝播し定着し再現されるようになる。こうして人類史は、有償経済のもとで不可避的だった複合的な経済的社会構成体の形成という特殊形態の相対弁証法的発展から、一般的形態の相対弁証法的発展に変わるだろう。

注）「自然の相対弁証法」ですでに紹介した分子人類学の篠田謙一著『岩波現代全書　ＤＮＡで語る　日本人起源論』（2015年、岩波書店）では、単一の遺伝的世界への統合を展望している。これらはあくまでＤＮＡ分析の結果であって、経済的・政治的・文化的等の営為で形づくられる人類の歴史とは異なるとはいえ、その歴史の影絵を彷彿させるものがある。

『アメリカ版　大学生物学の教科書』（Ｄ・サダヴァ他著、石崎泰樹・斎藤成也監訳、講談社、2014 年）では、自然史の知識とモデル化について、「生態学者は他の科学者が用いるのと同様の科学調査のツール、すなわち観察、問題設定、帰納的推論、演繹的推論、比較、実験などを活用している。しかしながら、生態系の特異性と複雑性が課す難題から、ある特定のツールが特に重要なものになっている。これらのツールは自然史と数学的モデル化である。驚くべきことのように思われるかもしれないが、正式の仮説検証調査とは異なる自然史（原文はゴシック体）が、生態系、その相互作用、相互作用の環境における位置付けに関する多くの要素について重要な知識を提供してくれる。自然史は生態学的調査のほとんどすべての段階にとって非常に重要である。しばしば自然史観察は新しい問題設定の源になり、作業仮説の作成に加えてそれを検証するための生態学的実験や比較のデザインにとっても非常に重要である」（P 54 ～ 55)。この「自然史」と同じ役割を果たすのが「歴史の五段階発展」であろう。

②学説検討─『岩波講座　世界歴史第１巻　世界史とは何か』（岩波書店、2021 年）

本講座の「展望」では、世界史の方法論、人類史の軌跡などを考察し、「問題群」では「人は歴史的時間をいかに構築してきたか」「世界史における空間とはどのようなものか」「現代歴史学はどのように展開（転回）してきたか」を学説史にそって考え、「焦点」では「ジェンダー史」「ポストコロニアル研究」「環境社会学」「感染症の歴史学」という４つの視点から世界史の描き直しが試みられ、加害・被害などをめぐる歴史認識の対立と相互理解を論じ、世界史教育の改革を分析している。15 氏による本講座は、いずれも内外の豊富な先行研究と参考文献を踏まえた精緻な論考になっている。ここでは、３人の論文に着目したい。

まず、「世界史における空間」について西山暁義論文「世界史のなかで変動する地域と生活世界」をとりあげる。社会・地域・国などの存在諸形態とその間の交通に関係し、複合的な経済的社会構成体の形成と展開の基礎を成しているからである。

「地域」と「地域史」について、「歴史学は何よりも時間を主題とする学問である。とはいえ、何らかの空間概念や単位を設定することなく歴史を叙述することはできない。…ミクロなレベルの歴史であっても…マクロな全体史を志向する場合でも…何らかの空間的単位として『地域』の名称が不可避的に登場する。しかし、時間的区分（時代）については研究のなかでさまざまな提案と論争が行われてきた一方で、空間的区分（地域）として使用される概念、その歴史性については十分な注意が払われてきたとは言い難い」が「しかし、21 世紀にはいり、グローバル・ヒストリーやトランスナショナル・ヒストリーが台頭するなかで学際性も強まり、歴史学においても『空間論的転回』が受容、議論されるようになってきた」（P 113 ～ 118）とし、領域の境界の歴史、領域の内部構造、複数の地域の結びつき方を論じていく。

第１に、境界はいつでも変わるものであり、「一つの境界の衰退・消滅は別の境界を生み出したり、あるいは形を変えて現れうる…境界は開くこと（橋）と閉じること（壁）の両面の機能があり、それらは表裏の関係にある」（P 119）という。

第２に、国民国家と地域について、地域的であることは保守反動的、静的であり、国民的であることは近代的、動的であり、歴史の流れは前者から後者へとされがちだが、「21 世紀における私たちの経験は、むしろ両者が相互に関係していることを印象付ける」（P 126）とする。

第３に、「世界史は国民国家の寄せ集めではないのと同様、地域史の寄せ集めでもない。さまざまな地域が何によってどのようにつながり、それが人びとの生活空間としての地域社会にどのような影響を与え、さらに人びとの空間認識にどのような変化をもたらしたのかが重要になる」という。さらに、「国民国家」と「帝国」の相関性に触れ、両者の協力関係には知的、人的交流も含まれると指摘する。そして、「個々の領域への狭角な焦点とより広域な地域への広角な焦点を交差させることで、個々の事象の世界史的な関連が浮かび上がってくる」（P 136）という。

最後に、世界史における地域について考える際に重視すべき３点を挙げている。

「一つは、領域における重層性と多孔性である。…単一の領域原則の貫徹というよりは複数のそれの組み合わせ、序列化…国境についても、そこにはつねに一定の多孔性と透過性が存在し、それは地域社会や隣接国家の関係性、さらにより広域的な資本やヒトの移動に従属するものであった。第２に、こうした知見は国民国家の相対化に重要な視座を提供するものではあるが…国民国家の存在を無視することでもない。…自然地理の役割についても…これらは地域間の結びつき方に独特の条件を課しつつも、その条件は世界観や科学技術の発展によって大きく変化する…最後に、世界史における地域のあり方を『領域化』から『脱領域化』への進展としてではなく、『脱領域化』と『再領域化』の二重の空間的プロセスとして考えるという点である。異なるスケール間をズーム・イン、ズーム・アウトすることによって地域をさまざまな文脈に位置付けつつ、またヒトやモノといったアクターに注目することによって、この二重のプロセスを具体的に可視化することができるであろう」（P 137 ～ 138）。

「境界」の二面性や、「領域」や「国境」の流動性、「脱領域化」と「再領域化」の二重の過程、地理的条件と世界観や科学技術の影響、交通の「アクター」についての指摘は重要であろう。

次に、複合的な経済的社会構成体の形成と展開を考察するうえで、本書で「展望」に位置づけられた小川幸司論文を見てみよう。

「歴史とは、歴史学者や歴史教育者だけが探求するものではなく、様々な人々が日常生活の中で参照し、それをもとに行動するものである。そうした意味で、歴史を探求することをアカデミックな『歴史学』よりも広い視野でとらえ、これを『歴史実践』という概念で表現する論者が多くなってきている。…歴史実践には、二つの形がある、と私は考えている。一つは、『世界と向き合う世界史』…もう一つの世界史には、歴史年表の事象の関係を大きくつなぐ『世界のつながりを考える世界史』がある。…そして歴史を研究したり教えたりすることを職業とする歴史家、歴史教育者は、『世界と向き合う世界史』の探求を重ねる中で、それらの集積としての『世界のつながりを考える世界史』を考察していく。そして『世界のつながりを考える世界史』は、新たに生まれる『世界と向き合う世界史』の衝撃と蓄積によって更新されていく。世界史とは、このような二つの世界史実践の総体なのではないだろうか」（P 5～7）と歴史学説史をふり返る。

そのうち、ヘーゲルと並ぶ進歩史観の代表格がマルクスだとして、その「唯物史観」を『共産党宣言』から「すべての世界史は『搾取する側と搾取される側』の『階級闘争の歴史』であるとして、つまり階級闘争という表象に世界史の全体を還元する『換喩』の修辞法で、古代ローマから19世紀の同時代までの『世界のつながりを考える世界史』を描こうとした。それは同時に、プロレタリアート（労働者階級）がいかに生まれ、いかに未来に勝利していくかを焦点化した、『提喩』のまなざしをもって19世紀の政治情勢を見つめる『世界と向き合う世界史』でもあった。人々の解放が生産手段の社会化によって実現する具体的な道筋が示されたわけではないが、『換喩』による還元主義的な歴史叙述と『提喩』による倫理的な響きが、歴史発展の基本法則のようなものを人々に予感させていった」（P 27）と解説する。ただし、『資本論』による「物象化」のメカニズムの解明と、歴史認識での「観察者の立場」から「存在の立場」への転換は好評価されている（P 28）が、マルクスのフォイエルバッハ・テーゼにおける〝解釈の立場から変革の立場への転換〟は忘れてはならないだろう。

「世界史実践の軌跡のまとめ」として、①『世界と向き合う世界史』と『世界のつながりを考える世界史』の循環構造がある。②「規範・アイデンティティの共有」「人間・社会の洞察」「フレームの脱構築」などの目的・志向性や、「過去からの世界史」「未来への世界史」という「時間軸の力点」をもつ。③前の世界史実践を乗り越える次の世界史実践が試みられる—などと整理される。「唯物史観」は「人間・社会の洞察」に志向性をもち、「未来の世界史」に力点がおかれ、実証主義史学と進歩史観とは継承・交流・対抗関係にあったが、20 世紀から 21 世紀へのグローバル・ヒストリーや環境生命系の歴史などとは継承関係がなく、19 世紀から 20 世紀までの世界史実践と説明されている（P 32、図 1）。

つまり、21 世紀からの世界史実践の「展望」のなかには「唯物史観」が占める席はほぼないというのが結論なのだ。それでも、「世界史は人類がいかに相互依存・相互交流をしあって生きてきたか…世界史はもはや広い地域と国家からなる入れ子短冊形のフレームを唯一のものとはしない。個々の歴史叙述は短冊どうしを融解させ、世界年表の上に一つの直線ではなく、様々な形状の星座的なモンタージュを形作る。…世界史は〈私たち〉という存在を、固定的にではなく、多面的で重層的なありようとして考える」（P 70）という認識は重要であろう。

さらに、「歴史学の展開（転回）」についての長谷川貴彦論文「現代歴史学と世界史認識」をみてみよう。

「マルクスの歴史認識は『経済学批判』のなかで定式化されているが、それは『アジア的、古典古代的、封建的、近代ブルジョワ的生産様式』という社会的構成体の発展段階として描かれている。マルクス主義の発展段階論を基礎付けるのは、生産様式であり、それは生産力と生産関係との矛盾から生じる階級闘争によって移行の論理を与えられる。…マルクスの発展段階論は普遍的で継起的な諸段階として一国史的かつ通時的に構想されていたが、『東欧』や『第３世界』では、普遍的なモデルとの『差異』を認識させることになった。…近代化理論、そしてマルクス主義の一部に内包される矛盾を解決する道として提起されたのが従属理論であった。…フランクら従属理論の問題意識と世界認識の枠組みを継承しながら、構造体としての『世界システム』という概念を提起することで議論を整理したのが、イマニュエル・ウォーラーステインであった。…この世界システム論の歴史社会学的アプローチは、現在のグローバル社会科学の先駆としてグローバル・ヒストリーのなかに継承されていくことになった」（P 150 ～ 154）という。

1970年代以降の「物語論的・文化論的転回」のなかで世界史認識を提供するポストコロニアル研究について、「既存のマルクス主義や近代化理論などの世界史認識の批判に精力を注ぎ、とりわけヨーロッパ中心主義的な物語の構造を看破して、それらを徹頭徹尾解体していった」（P 160）という。また、1990年代以降の歴史学の「空間論的・時間論的転回」では、グローバル・ヒストリーとして、歴史における空間認識の諸潮流（P 161）と、「宇宙史」を扱うビック・ヒストリーや、「人類史」とも言えるディープ・ヒストリー、気候変動の歴史を描く「人新世の歴史」など「長期の復権」とも呼べる時間認識の拡大（P 164）が紹介されている。

最後に、「近代の歴史学の主流をなす研究領域（ジャンル）やアプローチは、政治史、経済史、社会史、そして文化史と変遷し…現在のグローバル・ヒストリーの隆盛…近代以降の『世界史』叙述の空間認識についてみれば、基本的な単位となったのは国民国家であった。…他方で、『世界史』の時間認識についていえば、近代の世界史は…欧米の近代性が進歩の座標軸となっていた。…グローバル・ヒストリーは…近代性を目標とする進歩主義とヨーロッパ中心主義の時間論的枠組みが前提されていた。これに対してビック・ヒストリーやディープ・ヒストリーなどは、文字の発明以前からの人類を対象として超長期的な歴史を描くことになり、気候変動や環境・生態系を包摂した『全地球的時間』という軸が設定されることになった。そこでは、進歩や近代への偏重からはすでに距離を置いていることが明らかとなる。かくして、現在のグローバル・ヒストリーを中心とする『世界史』は、文化論的転回、空間論的転回、時間論的転回などさまざまな現代歴史学の『転回』が交錯するところに成立しているのである」(P 171 ～ 172) と締めくくる。

引用の「マルクスの発展段階論は普遍的で継起的な諸段階として一国史的かつ通時的に構想されていた」は〝定説〟であるかのように扱われるが、すでに紹介した晩年のロシア論での言明から誤りである。また、「マルクス主義の発展段階論」からグローバル・ヒストリーへの流れを叙述しているが、前に見た小川論文では「唯物史観」とグローバル・ヒストリーの間の継承関係は認められていなかった。確かに「普遍的、継起的、一国史的、通時的」発展段階論や従属理論、世界システム論の破綻は歴史的事実からしても明らかで、それに続くグローバル・ヒストリーもその科学性を見極める必要があろう。さらに、誤解によって無理やり創作された「普遍的なモデルとの差異」とか、「内包される矛盾」が観念論的な「グローバル社会科学」によって解決されることはないだろう。なぜなら、「グローバル・ヒストリーを中心とする『世界史』は、さまざまな現代歴史学の『転回』が交錯するところに成立している」ので、主観的に選択された「転回」の組み合わせに基づく「世界史」がいくつも出来てしまうからである。それでも、歴史学における空間認識と時間認識についての科学的探究は重要であろう。

注）斎藤幸平氏は『人新世の「資本論」』（集英社、2020年）で〝マルクスは物質代謝を踏まえたエコなコミュニズムを構想したのではないか〟、〝晩期マルクスは進歩（唯物）史観を捨てたのではないか〟と主張する。前者は、1960～70年代に公害が世界的に問題になりマルクスの物質代謝論の重要性が指摘され新味はない。ただし、特別、絶対的、相対的剰余価値生産で構成されるマルクスの剰余価値論から逸れ、経済の質的成長を見ない「脱成長コミュニズム」を提唱するのは斎藤氏本人である。後者については、本論で詳しく論じたように、晩期マルクスは唯物史観をさらに発展させようとしていたのであるから､誤解である。剰余価値論と史的唯物論とを〝捨てた〟のは斎藤氏であって、「脱成長コミュニズム」は〝新しい空想的社会主義〟ではないか。

「文藝春秋」2022年8月号、佐藤優・池上彰対談「日本左翼100年の総括」（P 115～116）では、

池上　経済格差の拡大と世界戦争の危機という現在のトレンドをみると、ふたたび左翼思想が台頭してもおかしくない…斎藤幸平さんの『人新世の「資本論」』がベストセラーになった…地球環境破壊を止めるには資本主義における利潤追求に歯止めをかけるべきだというのが著者の指摘で、その答えをマルクス主義に求めている。…彼は、環境資源を排他的に独占し商品化するのではなく、「コモンズ（共有財）」として扱い、豊かさを取り戻すべきだと主張しています。私が斎藤さんの思想は「コミュニズム（共産主義）」というよりも「コモンニズム」ではないかと指摘したら､彼も笑って認めていましたね。ただ、前衛党を中心に労働者による革命を目指す従来の共産主義運動とは一線を画し、まずは身近なところから、少しずつできることをするという、ある意味で共産党を必要としない考えです。

佐藤　まともに斎藤さんと論戦したら、（日本の—引用者）共産党は負けてしまうからでしょう。今の共産党の思想は、基本的にはマルクスではなく、スターリンの『弁証法的唯物論と史的唯物論』に書いてある生産力史観に依拠しています。結局、ソ連以降の思想ですね。共産党はそこを突かれるのを死ぬほど嫌がります。だから最近は涙ぐましいことに、ソ連成立以前のエンゲルス版の『資本論』を訳し直している。ようは先祖返りを試みているわけですね。

池上　ソ連によって本来のマルクスが歪められたから、今からそれを正すというつもりなのでしょうか。

剰余価値論を捨てた斎藤氏に経済の「脱成長」は相応しく、史的唯物論を捨てた斎藤氏に「コミュニズム」は相応しくないのは、池上氏の言う通りだろう。ただ､この対談の後半の思い込みは噴飯もの。

著者　米井　証（よねい・あきら）

科学的社会主義研究
1951年東京都生まれ

新しい史的唯物論の定式へ［試論］

—歴史の非五段階発展と相対弁証法—

2023年4月1日　初版第1刷発行

著　者　米井　証

発行者　竹村正治

発行所　株式会社ウインかもがわ
〒602-8119
京都市上京区出水通堀川西入亀屋町321
TEL 075（432）3455
FAX 075（432）2869
発売元　株式会社かもがわ出版
〒602-8119
京都市上京区出水通堀川西入亀屋町321
TEL 075（432）2868
FAX 075（432）2869

印刷所　新日本プロセス株式会社

ISBN978-4-909880-43-7　C0010